Op blote voeten

Van Maren Stoffels

Dreadlocks & Lippenstift
Piercings & Parels
Cocktails & Ketchup
Sproetenliefde

www.marenstoffels.nl

Maren Stoffels

Op blote voeten

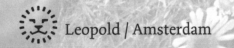
Leopold / Amsterdam

Met dank aan Marjorie voor haar verhalen

Eerste druk 2008
© 2008 tekst: Maren Stoffels
Omslagfoto's: Mark Sassen
Omslagontwerp: Petra Gerritsen
Auteursfoto: Mark Sassen
Uitgeverij Leopold, Amsterdam | www.leopold.nl
ISBN 978 90 258 5200 9 | NUR 283/284

Mixed Sources
Productgroep uit goed beheerde bossen
en andere gecontroleerde bronnen
www.fsc.org Cert no. CU-COC-803902
FSC © 1996 Forest Stewardship Council

Uitgeverij Leopold drukt haar boeken op papier met het
FSC-keurmerk. Zo helpen we waardevolle oerbossen te behouden.

Ik was al verliefd voordat ik hem kende.
Dat moet haast wel, want toen ik hem voor het eerst zag,
voelde het alsof ik hem gemist had.

Een

'Je krijgt nieuwe buren.' Bo knikt naar de verlaten villa achter onze tuin. We zitten verveeld kersenpitten te spugen richting een ijzeren emmer. Elke rake pit is een punt. Ik sta al vijf pitten achter.

'Misschien komt er wel een heks wonen,' zeg ik. 'Zo eentje met honderden katten.'

Bo lacht. 'Of een heel knappe jongen.'

Ik spetter met mijn voeten in de teil met koud water en probeer Bo te raken. 'Jij denkt ook alleen maar aan jongens. Wat is er gebeurd met Max?'

Bo zucht. 'Dat is al een week uit.' Ze kijkt verveeld voor zich uit.

Ik snap soms niet waar Bo al die vriendjes vandaan haalt. Stiekem ben ik een beetje jaloers. Ze kan elke jongen krijgen.

'Nou, ga er maar niet van uit dat in zo'n spookhuis wat leuks komt wonen,' zeg ik.

'Volgens mijn moeder waren de kopers mensen uit de stad.'

'Waarom zou je in hemelsnaam van de stad naar hier komen?' merk ik op. 'In de stad kan alles. Volgens mij zouden mijn haren daar helemaal niet opvallen.'

Bo buigt zich opzij en veegt door mijn korte stekels. 'Ik vind het wel stoer.'

Mama vond het allesbehalve stoer. Toen ze vorige week thuiskwam uit haar werk had ik zelf de schaar in m'n haren gezet. Ik was net klaar toen ze de woonkamer in stapte. Mijn lange blonde lokken lagen om me heen op de grond. Ik heb haar nog nooit zo hard horen schreeuwen. Of ik soms op een jongen wilde lijken?

'En dan laat je je ook nog eens Sám noemen.' Zo sprak ze het uit. Sám, alsof het een soort ziekte is. Maar alles is beter dan Samantha, de naam die op mijn paspoort staat.

'Ik mag helemaal niks van haar,' zeg ik. 'Zelfs geen vakantiebaantje.'

Bo fronst haar wenkbrauwen. 'Waarom niet?'

'Ze vindt me te jong.'

'Onzin. Je bent vijftien.'

'Zeg dat tegen haar.'

'Zal ik doen.'

Het blijft even stil. Bo staart naar de villa en ik kijk stiekem naar haar. Bo durft alles en trekt zich van niemand iets aan. Met haar voel ik me veilig, er kan me niks overkomen. Als we samen in de stad zijn krijgen we alle aandacht. Alle jongens fluiten Bo na en we krijgen vaak gratis drankjes. Soms snap ik niet waarom ze met mij bevriend is. Wanneer ik dat aan haar vraag krijg ik een antwoord als: 'Omdat ik om je geef, gek kind.'

Nee, ik zou geen dag zonder Bo kunnen.

De zon hangt al laag aan de hemel. Over het dak van de villa ligt een gouden kleur. Het huis ziet er vredig uit. Bo is net naar huis gegaan en riep nog dat ze wel voor een baantje zou zorgen. Ik ben benieuwd waar ze mee aan komt zetten. Hopelijk draait mama een beetje bij.

De stemming in ons huis is heel vrolijk. Julia is net thuisgekomen met haar nieuwe rapport. Mijn zusje heeft prachtige cijfers gehaald en ik hoor de opgewekte stem van mama. Wiegend in de hangmat stop ik de oordopjes van mijn mp3-speler in mijn oren. Het volume gaat op tien.

Naar mijn rapport heeft mama nog niet gevraagd. Het zit nog altijd onder in mijn rugzak. Hopelijk vergeet ze het. Ik heb meer onvoldoendes dan vorig jaar. Zij denkt dat het komt doordat ik zoveel met Bo optrek. Onzin natuurlijk. Bo kletst misschien de oren van mijn hoofd, maar ik hou haar niet tegen. Ik vind het juist gezellig in de lessen. Deze week was het nauwelijks uit te houden in de klaslokalen. Alle ramen stonden open, maar we zweetten zowat de school uit. Bo nam demonstratief een opblaasbadje mee naar wiskunde.

'Als we dan toch die formules moeten leren, dan liever in het water,' zei ze. De leraar zag de humor er wel van in en hij nam ons mee naar buiten voor een watergevecht.

Ik heb de laatste tijd helemaal geen zin in school.

Er klinken banden op het grindpad. Nog geen tel later raast een rode auto langs onze tuin. Hij rijdt het pad op richting de villa. De banden doen het stof opwaaien en ik kom nieuwsgierig overeind. Met mijn muziek nog op loop ik achter de auto aan. De stenen prikken onder mijn blote voeten.

Wanneer drie portieren tegelijk openzwaaien verstop ik me snel achter een boom. Een vrouw met lange blonde haren en felle kleding rekt zich uit. Ze doet haar ogen dicht en draait een paar rondjes. Een meisje met vlechtjes springt de auto uit. Haar knuffel in de ene arm en onder de andere een boek. Ze rent naar de vrouw, die haar uitgebreid knuffelt. Aan de andere kant stapt een lange gedaante uit. Ik kan alleen zijn achterkant zien. Een grijze sweater en een petje.

'Prachtig,' hoor ik hem zeggen. Hij zal toch niet de villa bedoelen? De vrouw en het meisje lopen naar de voordeur. De jongen draait zich plotseling om en kijkt over de auto heen naar mij. Ik vergeet weg te duiken en voel mijn wangen kleuren. Een paar seconden staren we elkaar aan. Zijn huid is even donker als die van het meisje en zijn ogen lijken wel zwart. Heel even denk ik dat hij iets gaat roepen, maar dan krullen zijn mondhoeken omhoog.

Mijn hart bonst tegen de stam. Ik wil teruglachen, maar weet niet meer hoe dat moet.

Lieve Wendy,
Onze nieuwe buren, wat zal ik zeggen? Je had me moeten zien, ik stond hem als een dom schaap aan te staren. Zijn ogen zijn even zwart als de aarde in onze achtertuin en zijn lach... Bo had het vanmiddag nog over een knappe nieuweling. Dat geloof je toch niet?
Ineens maken de opmerkingen van m'n ouders niet meer uit. Ik kreeg zin om te gillen. Net zo hard totdat die kriebel uit mijn tenen er bij mijn mond uit zou komen.
En ondanks het gevoel van vanmiddag kreeg ik het weer benauwd toen ik op mijn kamer kwam. De doos onder mijn bed zit vol met brieven aan jou.
Ik vraag me af waar je nu bent, wat je doet. Zeker zo in de zomer mis ik je. Het zwemmen, het record ijsjes eten verbreken, samen op onze plek bij het meer zitten en uren praten over belangrijke en onzin-dingen.
X Sam

Ik kijk naar de korte brief. Soms schrijf ik wel vijf kantjes vol, maar vandaag lijkt alles anders te gaan dan normaal. Ik vouw het papier op en stop het in de envelop. Dichtlikken heeft geen zin.

Twee

'Je hebt niet eens wat gezégd?'

Ik fiets naast Bo over het zandpad richting het meertje. Onze badspullen zitten onder de snelbinders. De eerste dag van de vakantie is met heerlijk weer begonnen.

'Nee, waarom zou ik?'

'Omdat het liefde op het eerste gezicht is?' Bo gilt het uit.

Ik zucht. Dit soort dingen zal ze nooit begrijpen.

'Ik kan toch moeilijk zomaar wat roepen? Dat was pas echt stom geweest.'

Bo proest. 'Zo lukt het natuurlijk nooit met jou.' Het klinkt verontwaardigd.

Ik knijp in mijn handvaten. 'Kunnen we het ergens anders over hebben?'

'Zoals je nieuwe baantje?' vraagt Bo.

Ik kijk verrast opzij. 'Heb je nu al wat gevonden?' Door mijn enthousiasme vergeet ik bijna te sturen en ik zwabber gevaarlijk tegen mijn vriendin aan.

'Pas op, gestoorde! Nee, natuurlijk niet. Maar wel wat advertenties. Meneer Dijkman zoekt iemand om zijn zwembad schoon te maken.'

Ik trek een vies gezicht. 'Zeker een hele zomer blaadjes scheppen, nee dank je.'

'Model staan bij de tekenklas van mijn moeder?'

'Naakt?'

Bo grijnst. 'Ja, met een appel in je mond.'

Ik moet nu ook lachen. 'Zoek nog maar even verder.'

We rijden zwijgend door. De weg maakt een flauwe

bocht naar rechts en dan zie ik het meertje al. Het water ziet er vies uit, maar ik weet dat het door de modder komt, en niet doordat er mensen in poepen, zoals Bo beweert.

Achter een paar struiken kleden we ons snel om. Ik krijg mijn badpak nauwelijks omhoog over mijn bezwete benen. Terwijl ik onhandig op één been rondspring schiet Bo uit haar kleren. Ze heeft haar bikini al aan en kijkt zoekend om zich heen. Haar blik blijft hangen bij twee oudere jongens. Puffend hijs ik de bandjes om mijn schouders.

'Wie het eerst in het water is!' Ik sprint richting het meer. Plenzend en gillend rennen we net zo ver tot onze haren ook nat zijn. Bo duikt en komt proestend boven. Aan de kant hoor ik de jongens fluiten. Bo doet net alsof ze hen niet ziet. Dat kan ze ongelooflijk goed. Zelfs ík geloof bijna dat ze ze echt niet in de gaten heeft.

'Wat een belachelijke hitte,' zucht Bo, terwijl ze op haar rug gaat liggen en met haar armen heen en weer zwiept. Ik volg haar voorbeeld en we kijken samen naar de lucht, waar geen wolkje te zien is.

'Gaan jullie nog met vakantie?'

Ik schud mijn hoofd in het frisse water. 'Geen hutje op Texel deze keer. Gelukkig maar.'

'Dus ik hoef je niet te missen deze zomer?'

Ik moet glimlachen. 'Alsof je mij zou missen met al die vakantievriendjes.'

Bo petst water in mijn gezicht. 'Pas op, jij. Bovendien: ik heb geen interesse meer in vakantieliefdes.'

'Dat wordt dan een saaie zomer.'

'Misschien sla jij die nieuwe buurman wel aan de haak.'

Voordat ik iets kan zeggen hoor ik geschreeuw aan de

kant. De jongens zijn het zeker zat om genegeerd te worden, want ze beginnen nu dingen te roepen. Het is in het Engels en het klinkt uitdagend.

Bo draait zich even op haar buik om te kijken. Ze trekt één wenkbrauw op.

'Wat willen ze?' Ik ben bang maar ook nieuwsgierig.

'Ze willen dat we naar ze toe komen,' zegt Bo, die haar rug weer naar ze toe keert. 'Mooi niet.'

De grootste jongen roept weer iets. Hij lijkt wel dertig. Hij draagt een spijkerjack waar de mouwen van afgeknipt zijn.

'*Shut up!*' roept Bo zonder om te kijken.

'Wat nu weer?'

'Hij zegt dat ik een lekker ding ben.'

Ik kijk naar de jongen, die zijn spijkerbroek uittrekt. Er komt een zwembroek onder vandaan. Hij komt toch niet ook het water in? Ik stoot Bo aan, maar die negeert me.

'Niet kijken, ze gaan zo wel weg.'

'Ik wil eruit,' zeg ik. De jongens werken me op de zenuwen, ik wil het liefst naar huis. Bo zucht hoorbaar en loopt het water uit. De jongen fluit opnieuw en roept nog iets onverstaanbaars.

Bij de handdoeken wikkel ik mezelf helemaal in. Bo ploft naast me neer en vist cola uit haar tas. Ze heft de fles op.

'Op een zomer om nooit te vergeten.'

Ik knik. Bo drinkt bijna de halve fles leeg en als ze hem aan mij geeft klinkt er een harde boer. De jongens joelen. Ik zet de fles aan mijn lippen en begin te drinken.

'Niet kijken,' zegt Bo zachtjes. 'Maar die *creep* komt eraan.'

Nog geen tel later zit de jongen naast ons in het zand.

Zijn ongeschoren wangen en kin zijn ineens heel dichtbij. Hij grist de fles uit mijn handen en begint te drinken. Ik kijk hem verbluft aan. Dit geloof je toch niet? Maar ik zeg niets. Hij is het type waar ik doodsbang voor ben.

'Nice,' zegt hij.

Bo kijkt hem kwaad aan. 'Go away.'

De jongen lacht. 'I thought you liked me.'

Bo laat zich niet kennen. 'I think you're ugly, that's what I think.'

Vanbinnen lach ik om haar opmerking. Maar de jongen lijkt niet onder de indruk en blijft haar strak aankijken. Moet ik iemand roepen? Er is geen volwassene te zien. Waren we toch maar naar het zwembad gegaan, daar zijn tenminste badmeesters.

'Now go away, before I call my boyfriend.'

De jongen grijnst en wijst op mij. 'Isn't your boyfriend sitting next to you?'

Ik slik moeizaam. Wat een rotopmerking.

'Hou je bek, mislukkeling,' roept Bo, trillend van woede. Ze trekt mij bij mijn arm omhoog en grist haar spullen bij elkaar. Pas als we bij de fietsen zijn stopt ze met zwijgen.

'Je lijkt niet eens op een jongen.'

Ik strijk door mijn haren. 'Ach, dit kapsel is niet helemaal vrouwelijk.'

'Al had je een meterlange baard, hij moet gewoon zijn kop houden,' zegt ze kwaad terwijl ze haar spullen achter op de fiets bindt.

'Dan had ik hem wel met mijn baard kunnen wurgen,' zeg ik, en de boze blik van Bo maakt plaats voor een brede lach.

Lieve Wendy,

*Ik deed wel alsof ik het grappig vond, maar natuurlijk
vond ik dat niet. Toen dat rotjoch mij een jongen noemde
kon ik wel door de grond zakken. Gelukkig nam Bo het
voor me op. Zou het door mijn korte haren komen? Of
omdat ik zo plat ben als een surfplank? Misschien is de
naam Sam toch geen goed plan. Dan denkt straks iedereen
dat ik een jongen ben! Ik was net zo blij met mijn kapsel,
maar vandaag even niet.*
*Was je maar hier, dan had ik er met jou over kunnen
praten. Bo snapt het toch niet, die heeft dat soort dingen
nooit. Elke jongen vindt haar knap.*
*Die Engelsman mag dan een engerd zijn, ik vond het toch
stom dat hij alleen voor Bo kwam. Het enige wat hij tegen
mij zei was iets gemeens. Wanneer vind ik nou een jongen
die mij leuk vindt?*

*Getver, ik zeur. Je zal wel denken: sinds wanneer is Sam
zo'n treurig geval?*

X Sam

Net als ik de brief op wil vouwen gaat mijn kamerdeur
open. Julia heeft een glas limonade in haar hand en kijkt
me verbaasd aan.

'Schrijf je nog steeds met Caitlin?'

'Natuurlijk niet. Dat is een penvriendin van vier jaar
geleden!' Het klinkt kattig.

Julia steekt haar neus in de lucht. 'Wat ben je weer
chagrijnig.'

'Kom je alleen maar zeuren of had je wat?'

'Een glas drinken, maar ik neem het wel weer mee.'

Even denk ik erover om de cola in haar gezicht te gooien, maar ik drink het toch maar op. Dan laat ik een harde boer, nog harder dan Bo vanmiddag. Julia trekt een vies gezicht.

Ik kan mijn zusje niet uitstaan. Zie haar staan kijken met die witte kleren, waar geen vlekje op zit. En dan die eeuwige goede cijfers van haar.

Toen we klein waren konden we het goed met elkaar vinden. Julia is drie jaar jonger dan ik en ik moest haar altijd met van alles helpen. Die keer dat we koekjes gingen bakken zal ik nooit vergeten. Het beslag zat uiteindelijk overal, behalve in de vormpjes. We besloten het gewoon op te eten en lagen de dag erna met vreselijke buikpijn in bed.

Ik schud mijn hoofd. Alles is anders. Rond haar tiende veranderde Julia enorm. Ze begon nette kleren te dragen en alles te doen wat mama wil. Ik herken haar niet meer terug. Ik ben mijn enige maatje in dit huis kwijt.

'Mama vraagt of je morgen op tijd wilt zijn voor het eten,' zegt Julia. 'We krijgen gasten.'

'Toch niet een of andere collega, hè?'

Even hoop ik dat Julia ook zal zeggen dat ze zo'n hekel heeft aan mama's collega's, maar ze knikt alleen maar. Het lege glas neemt ze mee naar beneden.

'Je neemt geen baantje.' Mama kwakt een lepel saus op mijn bord.

'Waarom niet?' probeer ik voor de zoveelste keer.

'Omdat je te jong bent, punt uit.'

Ik kijk naar papa, die rustig op zijn eten kauwt. Zoals gewoonlijk luistert hij niet. Julia bestudeert het sappak dat op tafel staat.

'Wat kan er nou misgaan?' roep ik. 'Ik ga heus niet in een paaldansclub werken.'

Mama kijkt me geschrokken aan. 'Dat moest er nog eens bij komen. Ik heb al moeite genoeg om de buren uit te leggen waarom mijn dochter erbij loopt als een jongen.'

Kwaad sla ik op de tafel. De borden trillen. 'Als ik mijn haren af wil knippen is dat mijn probleem!'

'Meisje, door die stekelkop van jou sta ik voor gek voor het hele dorp.' Ze zucht. 'Meisje, je hebt er gewoon de oren niet voor.'

Ik wil schreeuwen. Ik wil de tafel omkiepen en hen alle drie in hun bord spaghetti duwen.

'Het kan me niets schelen wat anderen denken,' sis ik, terwijl ik mijn spaghetti fijnmaal tussen mijn kiezen.

'Zo lang je hier woont hou je gewoon rekening met de rest. Eet nu je bord leeg. We hebben het er niet meer over.'

'Ik heb geen honger meer.' Ik sta op. Mama probeert me tegen te houden, maar ik sla haar arm weg. De achterdeur smijt ik met een klap dicht.

Buiten merk ik dat ik zwaar adem. Mijn hart gaat als een gek tekeer. Stomme, stomme ouders. Kan mij het schelen wat die mensen van mijn kapsel vinden. Het is toch zeker míjn haar? Ik kijk even vlug in de donkere ruit van het schuurtje. Het is waar: mijn oren steken een beetje uit. Waarom ontdek ik dat nu pas? Kwaad schop ik grindsteentjes weg, net zo lang tot mijn tenen pijn doen en ik rustiger word.

'Problemen?'

Ik schrik van de heldere stem achter me. Als ik me omdraai kijk ik in zijn donkerbruine ogen.

Drie

Een moment lang weet ik niks uit te brengen. Hij staat vlak bij me met een grote boodschappentas, die aan alle kanten uitpuilt.

'Problemen? Nee hoor,' zeg ik schor.

De jongen lacht breed. 'Ik zou graag met je praten, maar deze boodschappen moeten naar Jacky.'

'Jacky?'

'Mijn moeder. Ze wordt gek als ik te laat ben voor het eten.'

Ik knik dom.

'Kom je mee naar binnen?'

Ik kijk de jongen verrast aan. 'Is goed.'

De jongen laat de tas aan één kant los. Ik weet net op tijd het handvat te grijpen. We lopen richting de villa. Als we bij de deur zijn beginnen mijn zenuwen weer op te spelen. Ik ga daar voor geen goud naar binnen, denk ik bij mezelf.

De jongen draait zich om. 'Ik weet het, het lijkt een eng huis, maar als je eenmaal gewend bent wil je niks anders meer.'

Ik kijk naar de torens met de grote stenen adelaars. Zou dat ook voor die dingen gelden? De jongen opent de deur en ik kan niets anders dan hem volgen. De vloer kraakt onder ons gewicht. Er klinken trippelende voetstapjes door de ruimte en even later valt het kleine meisje de jongen om de hals.

'Bennie,' roept ze.

Bennie? Heet hij zo?

Hij duwt haar voorzichtig van zich af.

'Kom je?' vraagt hij.

Het meisje dartelt om me heen. We moeten het hele huis door voordat we bij de keuken zijn. Overal is het een bende. Stof, stukken plafond, riet, overal ligt van alles. De jongen kijkt om en lacht verontschuldigend.

'Wacht maar tot we hier klaar zijn,' zegt hij.

Ik vraag me af of hij wel weet waar ze zijn gaan wonen. Hoe kan dit krot ooit opgeknapt worden?

Plotseling staan we in een lichte, ruime keuken. De blonde vrouw bij het aanrecht kijkt om.

'Ben, waar bleef je nou?!' roept ze. 'Ik zei toch: alleen wat eieren.' Ze kijkt naar de grote boodschappentas en zucht. Dan ziet ze mij.

'En wie is deze schoonheid?'

Ik voel hoe mijn wangen rood kleuren en steekt verlegen een hand uit. 'Ik ben Sam.'

'Ik ben Jacky. Welkom in de villa.' Ze richt zich weer tot haar kinderen. 'Nou, waar wachten jullie op? Pak een extra bord en was je handen.'

De jongen, die dus Ben heet, schuift een stoel bij en het meisje pakt een bord. Er wordt niet eens gevraagd of ik mee wil eten.

'Ga zitten, Sam.' De manier waarop hij mijn naam uitspreekt doet me duizelen.

'Hou je van omelet?' vraagt Jacky zonder zich om te draaien.

'Ja, lekker.'

Ben grijnst. 'Ze kan alleen maar omeletten maken. Dus je móét het wel lekker vinden.'

Jacky draait zich om en smijt een pannenlap naar zijn hoofd. 'Pas op jij!'

Het meisje giert het uit. Ik weet niet of het wel gepast is om mee te lachen.

Nog geen kwartier later staat het eten op tafel: omelet met champignons en uitjes. Tijdens het eten staart het meisje me onophoudelijk aan. Na een paar happen voel ik me opgelaten en kijk even terug. Ze houdt haar hoofd een beetje schuin en fronst. 'Wie ben jij?'

Jacky kijkt haar dochter streng aan. 'Rosa, dat zeg je toch niet? Dit is Sam, een vriendinnetje van Benjamin.'

Vriendinnetje! Benjamin! En het meisje heet dus Rosa.

'Ik ken jou niet,' gaat Rosa verder.

'Ik jou ook niet,' zeg ik.

'Nou,' zegt Jacky en ze klapt in haar handen. 'Dan wordt het tijd voor een kennismakingsrondje.'

Ik kijk haar vragend aan. Benjamin begint te lachen.

'Ik ben Jacky, ik ben moeder van deze twee onuitstaanbare kinderen en ik kan alleen maar omeletten maken.'

'Meer!' roept Rosa.

'Ik hou niet van mensen die langzaam lopen op de markt en ik snurk.'

Rosa kraait van plezier. Ik vraag me af bij wat voor familie ik terecht ben gekomen.

'Nu jij!' Rosa stoot me aan. Ik voel me alwéér rood worden. Ik kuch en neem een slok water. Wat moet ik zeggen?

'Ik ben Sam.'

'Meer!' roept Rosa.

Ik denk diep na. Wat kan ik nog meer vertellen?

'Ik ga wel eerst,' zegt Benjamin en ik kijk hem dankbaar aan. 'Ik ben Benjamin, ik kon pas op mijn tiende veters strikken en ik slaap nog met een knuffel.'

Ik kijk hem verbaasd aan.

Benjamin kijkt uitdagend terug. 'Is er wat?'

'Nu moet jij!' Rosa trekt aan mijn arm. Ik kom er niet onderuit.

'Ik ben Sam, ik heb flaporen en hoogtevrees en mensen denken dat ik een jongen ben.'

'Ik ben Jacky en ik haat het als mensen denken dat Jacky een mannennaam is.'

'Ik ben Benjamin en ik haat het als mensen denken dat mijn mama mijn papa is.'

Ik proest het water uit. Geschrokken kijk ik naar Jacky, maar zij lacht het hardst van allemaal.

Benjamin gooit me een theedoek toe. Zelf heeft hij zijn handen al in het sop. Wat braaf dat hij uit zichzelf gaat afwassen. Maar toch is hij geen watje.

Ik begin af te drogen. Jacky heeft haar voeten op tafel gelegd en ik zie modder onder haar schoenen. Rosa zeurt om een verhaaltje en Jacky begint te vertellen. Niet uit een boek, maar uit haar hoofd. Veel krijg ik er niet van mee, want ik gluur telkens naar Benjamin, die de borden een voor een in het water laat glijden. Als Jacky uitverteld is begint Rosa om een nieuw verhaal te zeuren.

'Het is bedtijd,' zegt Jacky, zonder op de klok te kijken.

'Laat Sam dan vertellen,' zegt Rosa. 'Alsjeblie-ie-ieft.'

Ze doet me denken aan Julia, die kon vroeger ook zo smeken als ze haar zin niet kreeg. Jacky zucht en pakt mijn theedoek over. 'Nou, volgens mij kom je ook hier niet onderuit.'

Ik kijk naar Rosa, die aan tafel zit te wachten.

'Ik ken geen verhaaltjes,' probeer ik.

'Onzin,' zegt Benjamin. 'Iedereen kent wel een verhaal.'

Peinzend ga ik aan de tafel zitten. Rosa komt meteen op schoot. Haar rastavlechtjes kriebelen in mijn neus. Ze wipt ongeduldig van haar ene bil op de andere.

Wat kan ik vertellen? Plotseling schiet me een verhaal

te binnen van Wendy. Dat heeft ze me jaren geleden verteld toen we bij elkaar logeerden.

'Er was eens een paard...' begin ik.

'Ik hou van paarden,' onderbreekt Rosa me meteen.

'Maar het was geen gewoon paard.'

'Waarom niet?'

Benjamin en Jacky beginnen te lachen. 'Als je haar telkens in de rede valt ga je naar bed, hoor.'

Rosa perst haar lippen op elkaar.

Ik haal diep adem en begin opnieuw. Terwijl ik vertel voel ik me langzaam rustiger worden. De ogen van Benjamin ontwijk ik, anders ga ik stotteren. Rosa hangt aan mijn lippen en giechelt af en toe aanstekelijk.

'De koning wilde van het luie paard af en loofde een prijs uit. Wie Knollebol liet rennen mocht hem houden. Er kwam al snel een jongen aan de poort.'

'En toen?' vraagt Rosa gretig.

'De jongen liep naar het bed en begon tegen Knollebol te praten. Hij zei: "Als je nú met me meegaat, krijg je de grootste worteltaart ter wereld en mag je de hele week in een bubbelbad liggen." Knollebol deed een oog open en sliep toen weer verder. De jongen gaf het niet op en kwam een dag later terug. Hij probeerde het opnieuw, maar Knollebol verroerde geen hoef. Op de derde dag kwam hij zwijgend naast het bed zitten. Knollebol keek hem verveeld aan en zei: "Wat kom je nu weer doen?"'

Ik kijk even op. Jacky kijkt glimlachend naar Rosa, die geboeid zit te luisteren.

'De jongen zei: "Nou, niks eigenlijk. Ik kom je waarschuwen."'

'Waarvoor?' roept Rosa.

'De jongen zei: "Ik kom je waarschuwen voor de korte-kapsel-koorts."'

'De wát?' vraagt Rosa ontzet.

"'De korte-kapsel-koorts," zei de jongen. "Als je langer dan twee dagen in bed ligt, wordt je haar telkens een stukje korter." Knollebol deed net alsof hem dat niks kon schelen, maar hij kreeg het toch benauwd. Want wát als hij straks niet meer mooi was? Hij keek de jongen aan en vroeg: "En wat is daar tegen te doen?" De jongen keek hem ernstig aan: "Nou, volgens mij is het bij jou al begonnen." Knollebol greep angstig naar zijn manen en ontdekte tot zijn grote schrik dat er inderdaad een groot stuk af was. De jongen was niet gek, hij had de dagen ervoor telkens een stuk van Knollebols haren afgeknipt wanneer het paard sliep. Je begrijpt misschien wel dat Knollebol in paniek raakte. Hij begon te huilen en de jongen kreeg medelijden. "Er is een manier," zei de jongen, "waarop je haar weer aan zal groeien." "Hoe dan?" vroeg Knollebol snikkend. "Als je een flink eind gaat rennen," zei de jongen. Knollebol schudde zijn hoofd. Dat wilde hij niet. Hij ging slapen en de jongen knipte weer een stuk van zijn manen af. Nu was Knollebol bijna kaal. Toen hij 's ochtends wakker werd keek hij in de spiegel. Hij schrok zich dood en besefte dat de jongen de waarheid sprak. Als hij niet snel ging rennen, werd hij kaal! Dus Knollebol trok zijn joggingbroek aan en schoot naar buiten. Karel zat net aan zijn ontbijt en wist niet wat hij zag. Knollebol die als een gek over het grasveld rende. Knollebol leeft nu nog. Ik zag hem laatst in de wei staan, hier vlakbij.'

'Echt?' Rosa's ogen worden groot. 'Mama, mag ik gaan kijken?'

Jacky schudt lachend haar hoofd en pakt haar dochters hand. 'Het is allang bedtijd. Zeg Sam maar gedag.'

Rosa springt van mijn schoot en kijkt naar mijn stekeltjes.

'Heb jij ook korte-kapsel-koorts?'

Benjamin grijnst en ik glimlach. 'Nee,' zeg ik. 'Dat kan alleen bij paarden.'

Vier

'Wakker worden, slaapkop!' Bo schudt aan mijn schouder. 'Weet je hoe laat het is?'

Ik kijk verbaasd op. Wat doet Bo in mijn kamer? Dan zie ik tot mijn verbazing dat het al tegen twaalven loopt. Normaal ben ik een vroege vogel.

'De hele nacht doorgehaald zeker?'

Ik knik en begin mijn kleren bij elkaar te zoeken.

Bo kijkt me onderzoekend aan. 'Heb je met hem ge-zoend?'

'Nee, we hebben gewoon wat gepraat. Samen met zijn moeder en zusje.' Ik moet denken aan het verhaal van Knollebol en lach alweer.

'Gepráát?' roept Bo. 'En daar ben je zo vrolijk over?'

Ik laat het maar. Ik snap het zelf niet eens. Ik voelde me zo ongelooflijk vrolijk toen ik vannacht van de villa kwam. Ik liep zelfs te fluiten, het ging vanzelf. Thuis heb ik Bo nog ge-sms't.

'Nou, ben je eindelijk klaar?'

Ik kijk om me heen naar de troep op mijn vloer. 'Ja, volgens mij wel. Gaan we naar het meer?'

Bo knikt. 'En als die kwal er weer is gooien we hem in het water.'

Beneden klinken de geluiden van het late ontbijt. Als ik mijn hoofd om de hoek steek, kijkt mama me kwaad aan.

'En waar was jij?'

'Wanneer?'

'Je weet best wat ik bedoel. Je was in geen velden of wegen te bekennen.'

'Ik was even wandelen.'

'We hoorden je om halftwee pas thuiskomen!'

Julia staart naar haar yoghurt met cruesli en papa zegt ook geen woord. Ik besluit het niet erger te maken dan normaal en trek een schijnheilig gezicht.

'Ik beloof voortaan niet zo lang weg te blijven.'

Mama begint de tafel af te ruimen.

'Dat is je geraden. Anders kan je je feest wel vergeten!'

Ik ben bijna jarig. Het valt me mee dat mama dat onthouden heeft. Met ingehouden woede trek ik Bo mee naar buiten. Die lijkt wel even verontwaardigd als ik.

'Wat een rotopmerking. Alsof het zó erg is als je een keer laat thuiskomt.'

Ik kijk met een schuin oog naar de villa, waar de zon op het dak schijnt. Weet mama dat ik daar was? Bij de alleenstaande moeder met haar zwarte kinderen? Die ziet de roddel al in het plaatselijke sufferdje: *Zoon van de Spellers brengt nachten door bij het gespuis in de ruïne. Speller kan haar kind niet op het rechte pad houden. Wat een slechte moeder.*

In gedachten fiets ik achter Bo aan, die het alweer vergeten is en luidkeels een nummer van onze favoriete band zingt.

Het was geweldig bij Benjamin gisteren. We hebben tot twaalf uur spelletjes gespeeld en zelfs Rosa kwam weer haar bed uit. Jacky gaf haar instoppogingen op en Rosa mocht meespelen. Ze heeft de hele avond op mijn schoot gezeten.

Bij het meer is het opvallend druk. Gelukkig. Nu is de kans dat we die *creep* tegenkomen een stuk kleiner. Bo springt het water in, maar ik blijf nog even op de handdoek zitten. Kinderen bouwen zandkastelen en spetteren om zich heen in een ondiep plasje. Bo ligt vijftig meter verderop in het water. Als ze ziet dat ik kijk begint ze enthousiast te zwaaien.

In gedachten draai ik me op mijn buik. Dan stokt mijn adem. Een eindje verder zie ik het afgeknipte spijkerjack. Hij zit op zijn knieën in het zand en praat met een blond meisje. Nou ja, praten is een groot woord. Ik zie hem druk gebaren en hij steekt zelfs zijn middelvinger op. Tussen zijn gebaren door lacht hij zijn valse lach. Ik kijk naar Bo, maar die is nergens meer te zien. Shit, waarom is ze er nou vandoor? Nog voordat ik weg kan lopen heeft de jongen me al gezien.

'*I know you!*' roept hij. '*You're the girl who looks like a boy.*'

Roep het nog harder, denk ik bij mezelf en ik kijk om me heen, maar zie gelukkig niemand reageren. Of ze dóén alsof ze niks horen.

'*Come to me,*' zegt de jongen.

Voor geen goud, denk ik bij mezelf. Maar de jongen kijkt me dreigend aan. Ik loop door het mulle zand en zie nu dat het meisje van mijn leeftijd is. Ze zit met haar kleren en roze gympen aan op een handdoek. Ze rilt. Of lijkt het maar zo? Haar lange blonde haren hangen slap langs haar schouders.

'*Tell me, what's the name of your lovely girlfriend?*'

Ik kijk de jongen aan. Hij wil Bo's naam hebben? Denkt hij nou écht dat ik zo stom ben? Het meisje kijkt me hulpzoekend aan, maar ik durf hem niet weg te sturen.

'*I'm not gonna tell you,*' probeer ik in mijn beste Engels.

'*I will find out,*' zegt hij geheimzinnig. Hij staat op en slaat het zand van zijn zwembroek. Hij neemt het pak drinken van het blonde meisje en zet het aan zijn mond. '*Thanks.*'

Dan loopt hij weg. Wat een onbeschofte hufter.

Het meisje staart me aan, maar zegt nog altijd geen woord. Achter me hoor ik de stem van Bo.

'Sam, wat was dat? Wat moest die gozer van je?'

Ik draai me naar haar om. Haar haren druipen en ze haalt ongegeneerd haar neus op.

'Geen idee,' zeg ik. 'Hij kwam gewoon wat klooien, net als gisteren.'

'En wie is dat?'

Bo wijst op het meisje. Het valt me op hoe ze het uitspreekt. Dát, alsof ze een ding is.

'Geen idee,' zeg ik. 'Zullen we gaan?'

Bo kijkt fronsend naar het meisje. Ineens herinner ik me deze blik. Zo keek Bo ook altijd naar Wendy.

'Kom,' zeg ik snel, terwijl ik Bo bij de arm pak. 'Ik heb zin in ijs.'

'Samantha, was je handen en dek de tafel.'

Mama rent paniekerig heen en weer tussen de woonkamer en de keuken. Een collega komt eten en neemt haar dochter mee.

'Geen probleem, dan dek ik toch voor eentje meer?' hoorde ik mama aan de telefoon zeggen, maar nu zit ze al de hele dag in de stress. Haar tafelschikking klopt niet meer.

'Kan Julia dat niet doen?' zucht ik als ik de borden pak.

'Julia heeft de hele dag geholpen in de tuin. En trek een paar schoenen aan.'

Mijn zusje zit op de bank in de woonkamer. Haar witte broek is zelfs gestreken. Ze ziet er niet uit alsof ze hard gewerkt heeft. Met een nijdig gebaar kwak ik de borden op tafel.

'Mes en lepel rechts, vorken links,' roept mama vanuit de keuken. Ze kan me wat.

Als de bel gaat slaakt mama een kreet. De lasagne zit nét in de oven. Even later klinken er opgewekte stemmen in de gang. Voor ik het weet staat er een mevrouw in onze woonkamer. Ze heeft haar haren opgestoken en draagt een roze jasje dat veel te strak zit. Ik geef haar een hand en ruik een zoete walm parfum waar ik meteen misselijk van wordt. Haar naam ben ik meteen vergeten.

'Wat een énige woonkamer,' kakelt de vrouw.

Ik rol met mijn ogen.

'Vind je?' vraagt mama bescheiden.

'Zo stijlvol, en toch ook gezellig.'

Ik kijk naar de stijve meubels en het servies in de glazen kast. Allesbehalve gezellig.

'Het was toch geen probleem dat mijn dochter mee is?' gaat de vrouw verder.

Mama schudt haar hoofd. 'Waar is ze eigenlijk?'

De vrouw kijkt om zich heen. Haar dochter is nergens te zien. Ze lacht opgelaten. 'Elsa, meisje, doe niet zo gek.'

Er komt nu nog iemand onze woonkamer binnen. Een meisje met lange blonde haren en een engelengezicht. Het meisje van het meer.

'O, het eten is heerlijk!'

We zitten aan de lasagne en de vrouw kwebbelt ons de oren van het hoofd. Bij het toetje ben ik aan de beurt.

'Hoorde ik nou dat jij ook op het Vossenlyceum zit?'

Ik knik. De vrouw klapt enthousiast in haar handen. 'Daar gaat Elsa ook heen na de zomer. Is dat niet geweldig?'

Ik kijk opzij. Elsa heeft de hele avond nog niks gezegd en haar hoofd is even rood als de bessen op het toetje.

'Geweldig,' mompel ik.

'Het is een voorbeeldige school,' gaat mama verder. 'Samantha heeft het er enorm naar haar zin.'

'Vooral die keer dat Bo de deur van de lerarenkamer blokkeerde,' zeg ik met mijn mond vol.

Ik zie mama streng gebaren, maar het kan me niks schelen. Wat moet die verschrikkelijke vrouw in ons huis? En dan die dochter, die zich maar door haar laat kleineren.

'Nou, ik ben blij dat Elsa al wat vrienden maakt hier,' zegt de vrouw. 'De verhuizing was niet makkelijk.'

Elsa wordt nog roder. Ik zie zelfs Julia naar haar kijken. Wat zal zij denken? Vroeger waren we onder het eten naar de keuken geslopen om uitgebreid te roddelen.

'Over verhuizen gesproken,' gaat de vrouw verder. 'Ik hoorde dat de villa is verkocht?'

Ik spits mijn oren. Als het over Benjamin gaat wil ik het wel horen. Ik ben benieuwd of mama en papa al wat weten over de nieuwelingen.

'Ja,' zegt mijn vader. 'Aan een eigenaardig gezin.'

'Ja, zoiets heb ik ook gehoord.' De vrouw dept haar mond met een servetje.

'Hoezo?' vraag ik.

'Heb jij een vader gezien? Ik heb gehoord dat hij een straf uitzit. Tsja, met zo'n milieu... Van die kinderen zal ook niet veel terechtkomen.'

Onder tafel wurg ik mijn servet. 'Ik geloof er niks van.'

De vrouw glimlacht op een manier die mij nog bozer maakt.

'Ze hebben de spookvilla gekocht, dat zegt toch al genoeg?'

Ik zie Elsa voorzichtig van haar toetje opkijken. Is ze het niet met haar moeder eens?

'Nou, in ieder geval, ik ben blij dat onze Elsa zich niet met dat soort mensen inlaat.'

'Wat is het verschil tussen dat gezin en uw eigen gezin?'

'Samantha!' Mama kijkt me geschrokken aan.

'Elsa kent dat onderscheid wel, toch, lieverd?' De vrouw kijkt naar haar dochter en even hoop ik dat ze de tafel om zal gooien en haar moeder zal uitschelden, maar ze knikt alleen maar.

'Hun vader zit trouwens niet in de gevangenis,' zeg ik, als papa de tafel af begint te ruimen.

Julia kijkt me aan. Het is geen boze blik.

'Pardon?' doet de vrouw.

'U heeft geen idee waar u het over heeft.'

'Samantha!' roept mama weer.

Ik smijt mijn servet kwaad op tafel. 'Hou nou eens op met dat ge-Samantha. Ik heet Sam!'

'Sám?' zegt de vrouw. 'Dat is ook geen naam voor een net meisje.'

'Ik bén ook geen net meisje,' zeg ik.

Ik hoor dat Elsa naast me een klein lachje laat ontsnappen.

Lieve Wendy,

Ik ben verliefd en boos tegelijk. Die walgelijke taart, je had haar moeten zien. Ze zat daar maar met haar roze kleren en getuite lippen. En dan die dochter, alsof ze een pop was. Ze zei helemaal niets!
Gelukkig heb ik Bo en Benjamin nog. Gisteravond was zo gezellig. Het voelde voor het eerst alsof ik ergens thuishoorde. Alsof ik welkom was. Dat kun je hier niet zeggen. Mama zeurt alleen maar over mijn korte haar, papa is Oost-Indisch doof en Julia hangt de schijnheilige uit. Ik mis haar zo, Wendy. Vooral op dit soort dagen.

*Vroeger kwam ze elke nacht voor het slapen op de rand
van mijn bed zitten. Dan praatten we over de dag, over de
dingen die we deden. Nu lijkt ze haast een vreemde.
Kon ik het er maar met Bo over hebben, maar je weet hoe
ze is. Het is een schat, maar van gevoelens moet ze niks
hebben. Ik kan nog beter met een gieter praten. Daarom
deze brieven aan jou. Ook al zul je ze nooit lezen.*

*Ik hoor mama van beneden roepen dat ik moet komen.
Racist en Roodhoofd gaan vast weg.*

X Sam

Vijf

Het gras voelt nat onder mijn voeten. In mijn vale spijkerbroek en hemdje sta ik in de achtertuin. De ochtend-
mist hangt laag en ik kan de villa nauwelijks zien.
Peinzend bijt ik op mijn lip. De ruzie van gisteravond is
nog vers. Mama probeerde zich in te houden, maar het
kostte haar moeite. Ze bleef maar herhalen hoe brutaal
ik me gedroeg en dat ze zich niet meer op haar werk
durft te vertonen.

Op mijn beurt riep ik hoe racistisch die vrouw was en
hoe sáái haar dochter. Het maakte de sfeer er niet beter
op. Toen Julia zoals gewoonlijk niks zei, werd ik razend.
Ik brulde dat ik een andere familie wilde.

Ik krul mijn tenen in het gras. Als ik eraan terugdenk
voel ik me weer kwaad worden. Waarom doen ze zo?

Ik loop langzaam over het grindpad richting de heuvel. Op mijn horloge zie ik dat het pas zeven uur is. Bij de
villa kijk ik omhoog. De gordijnen zijn open, maar ik zie
geen teken van leven. Ik kan moeilijk aanbellen als het zo
vroeg is. Nog even terug naar bed?

'Dag vroege vogel, wat dacht je?'

Ik kijk geschrokken op. Jacky hangt uit het raam waar
ik net nog naar keek.

'Sorry,' zeg ik. 'Ik wilde jullie niet wakker maken.'

Jacky lacht. 'Ben je gek? Er is werk aan de winkel als we
snel klaar willen zijn. Kom binnen, de deur is open.'

Ik doe de krakende deur open en tref dezelfde bende
aan als gisteren. Voorzichtig loop ik tussen de stukken
plafond door. Waarom trek ik nooit schoenen aan?

Jacky komt de trap af, met een kwast achter haar oor. Ze draagt een blauwe overall met opgerolde pijpen. Als ze me ziet kijken maakt ze een verontschuldigend gebaar.

'Die is nog van mijn man geweest, jaren geleden.'

'Sam!' Ik hoor de stapjes van Rosa en even later hangt ze aan mijn nek.

'Kom je helpen?' Ze speelt met mijn korte pony.

'Natuurlijk komt ze helpen.' Benjamin komt nu ook de trap af en houdt me een pot verf en een kwast voor. 'Ze heeft hier gegeten, nu gaat ze terugbetalen. Twee uurtjes, dan staan we quitte.'

Ik zet Rosa op de grond en pak de roller aan.

'Oké,' zeg ik. 'Maar ik ben een beroerde schilder.'

'Maak je geen zorgen,' fluistert Benjamin als ik naast hem de trap op loop. 'Jacky bakt er ook niks van.'

Zijn warme adem blijft op mijn hals achter.

'Wat vinden jullie ervan?' Jacky doet een paar passen achteruit en kijkt naar de kamer. Ze hebben voor zeeblauw gekozen, mijn lievelingskleur.

Het is tegen elven en we hebben alle muren gedaan. Ik kijk tevreden naar mijn stukje. Er is geen streep te zien.

'Tijd voor voedsel,' zegt Jacky terwijl ze Rosa mee naar beneden neemt. Ik strijk nog een laatste keer met mijn roller over de muur.

'Dat doe je goed.' Benjamin komt naast me zitten en pakt mijn hand. 'Alleen dit stukje nog.'

Ik voel zijn borst tegen mijn rug en laat de roller bijna vallen.

'Gaat het goed?' vraagt hij.

'Ja, natuurlijk.'

'Ik hoorde stemmen gisteravond.'

Ik kijk naar de plankenvloer. Er steekt een punaise uit. 'Gewoon, klein ruzietje. Niks bijzonders.'

Benjamin glimlacht. 'Vroeger hadden mijn ouders ook altijd ruzie.'

'Bij ons thuis is het anders,' zeg ik snel.

Benjamin helpt me overeind. 'Elke ruzie is vervelend. Maar je bent hier altijd welkom.'

Ik luister naar het gerommel in de keuken beneden. *Dat weet ik*, wil ik zeggen. Maar ik knik alleen maar heel stom.

Beneden ga ik tegenover Benjamin zitten. Rosa pikt meteen de stoel naast me in. Ze kijkt me gretig aan. 'Ga je weer vertellen?'

Ik neem een boterham uit de mand. 'Nou...'

'Verhaaltje!' roept Rosa. 'Over Knollebol en de ridder.'

'Laat Sam eerst even rustig eten,' zegt Benjamin. 'Anders wordt het weer niks met het schilderen.' Hij grijnst naar me en begint zijn boterham te smeren.

'Mogen we straks naar Knollebol gaan zoeken, mama?'

Jacky neemt een hap. De jam blijft in haar mondhoeken zitten. 'Dat zien we zo wel.'

Ik wil zeggen dat ik Rosa graag meeneem, maar hou mijn mond. Ik wil me niet opdringen.

'Hoe heette de ridder, Sam?' Rosa weet van geen ophouden.

'De ridder heette...' Ik denk diep na over een naam. *Benjamin*, zegt mijn hoofd. *Benjamin.*

'Benjamin,' zeg ik.

Rosa kijkt glunderend naar haar oudere broer. 'Hoor je dat?'

Ik kijk verlegen naar Benjamin, die grijnst. Waarom kon ik geen andere naam verzinnen? Vincent, Peter, Bart, Guido, er zijn zoveel jongensnamen!

'Nou, genoeg verhaaltjes voor vandaag. We moeten

binnen twee weken klaar zijn.' Jacky smeert haar derde boterham.

Ik kijk haar verbaasd aan. 'Waarom zo snel? Je hebt toch de hele vakantie de tijd?'

'Het is hoogseizoen lieverd, binnenkort komen de eerste gasten.'

Ik frons mijn wenkbrauwen en kijk Benjamin aan. Gasten?

'We beginnen een hotel,' legt hij uit. 'Boven gaan we kamers verhuren.'

'Dit wordt een... hotel?!' Ik kijk om me heen. Met de keuken valt te leven, maar de hal en de andere kamers dan? Ik zie het al voor me. 'Waar wilt u slapen? In de kamer van het stof of de kamer van de puinhoop? U zegt het maar, hoor. En o ja, kijkt u uit voor de punaises?'

Jacky ziet mijn wanhopige hoofd en begint te lachen.

'Het gaat heus wel lukken. Mijn zoon is een geweldige klusser.'

Benjamin kijkt zijn moeder aan. 'Mam, je weet dat we hulp nodig hebben. We kunnen niet alles zelf.'

Jacky knikt snel. 'Dat komt ook goed. We hebben nog geld van de erfenis van opa.'

'Jullie hebben zelf geen geld meer over?' vraag ik geschrokken. Ik vergeet mijn beleefdheid helemaal.

'Natuurlijk niet.' Jacky's stem klinkt ineens fel.

'O, sorry.'

Jacky staat op en begint af te wassen. Aan de manier waarop ze de borden in de gootsteen laat kletteren merk ik dat ze boos is. Het was ook een stomme opmerking van me.

'Ik moet gaan,' zeg ik en ik gris mijn jack van de leuning.

Jacky kijkt niet meer om.

'En waar was je nou weer?' roept mama als ik de keukendeur achter me dichttrek.

Ik kijk snel op mijn horloge. Halftwaalf. Waarom heb
ik niet aan de tijd gedacht?

'Sorry,' zeg ik zachtjes.

'Ik wil weten waar je zat!'

Mijn hersens werken op volle toeren. Een smoes, snel.

'Ik was bij Bo,' zeg ik snel.

'Onzin,' zegt mama. 'Die belde net of je thuis was.'

Met een rood hoofd staar ik naar mijn blote voeten. Er
zit modder tussen mijn tenen.

'Ik vraag het je nog één keer, waar was je?'

Ik kijk hulpzoekend naar Julia, die aan de keukentafel
zit. Help me, smeek ik in stilte. Alsjeblieft, ik ben je zus!
Maar Julia vertrekt geen spier.

'Goed,' roep ik dan maar. 'Zoals je wilt. Ik was bij de
buren, oké?!'

Mama's gezicht trekt wit weg. Ik wil langs haar heen
naar mijn kamer vluchten, maar ze houdt me tegen.

'Samantha... Waarom?'

'Ze zijn hartstikke aardig,' verdedig ik me. 'Ik heb ze
geholpen met schilderen.'

'Wat dacht je: dat korte haar is nog niet genoeg? Hoe
moet ik dit straks aan iedereen uitleggen?'

Ik begin te trillen van woede. 'Ik ben zoals ik ben!'

'Je bent Samantha, een lid van de familie Speller,
gedraag je dan ook zo.'

Ik schud mijn hoofd. Als mama me niet zo beledigde
was de situatie bijna lachwekkend.

Mama draait haar rug naar me toe. 'Nou, ga nou maar
naar boven, ik wil je even niet meer zien.'

Lieve Wendy,

Ik hoor hier niet. Ik ben een koekoeksjong, in het verkeerde nest gedropt. Ik ben het lelijke jonge eendje. Mama geeft helemaal niks om me. Haar reputatie is het enige wat haar wat kan schelen. En mijn korte haren doen die reputatie geen goed.
Ik ben heus niet altijd blij met mezelf, maar als ik alles doe wat mama van me wil voel ik me helemaal niemand meer. Door tegen haar in te gaan heb ik mezelf een rol gegeven. Sam de opstandige.
Er zijn dagen dat ik het liefst bij mama op schoot zou kruipen en tegen haar aan zou huilen. Twee armen om me heen die zeggen dat alles goed komt. Dat ik niet lelijk ben.
Vroeger was Julia er. Daarna kwam jij. En nu? Er is niemand meer. Ja, Benjamin en zijn familie, maar voor hoe lang? Jacky leek écht boos net.
Was ik maar iemand anders.

X Sam

Ik gooi snel de brief met envelop in de doos onder mijn bed als ik voetstappen op de trap hoor. Nog geen tel later verschijnt Bo's gezicht om de deur. Gelukkig, niet mama.

'Dag schoonheid, mag ik binnenkomen?'

Ik glimlach. 'Natuurlijk.'

'Zo, je moeder ziet eruit alsof ze een citroen in haar achterste heeft.' Bo ploft op mijn bed en ik voel hoe de bodem doorzakt.

'Ruzie,' zeg ik. 'Zoals gewoonlijk.'

Bo zucht diep. 'Ouders. Je hebt er niks aan. Julia is trouwens ook een tutje geworden, zeg.'

Haar woorden doen me pijn. Zelfs Bo mag dat eigenlijk niet zeggen, maar ik moet haar gelijk geven.

'Kom je me opvrolijken?'

Bo knikt en pakt haar portemonnee uit haar zak.

'Mama moet weer veel werken en wil haar schuldgevoel afkopen. Kijk.'

Ik kijk naar het stapeltje geldbriefjes in Bo's handen. Dat moet minstens vijftig euro zijn. 'Toe maar.'

'Ga je mee naar de stad? Grote ijscoupe met extra slagroom eten en dure merkkleding met maffe hoedjes passen?'

Ik schuif de doos met de brieven naar Wendy wat naar achteren, uit het zicht van mijn vriendin.

'Natuurlijk,' zeg ik. 'Hoe kan ik dat weigeren?'

In de stad is het erg druk. Bezwete lijven plakken tegen me aan als we de roltrap nemen naar het winkelcentrum.

'Eerst naar die boetiek,' zegt Bo. Ze wijst op de winkel met de gouden letters op het raam. Vér boven mijn budget, zelfs boven dat van Bo.

Binnen laat Bo haar handen door de kleding gaan. De vrouw achter de kassa kijkt ons afkeurend aan. Ik ben ineens heel blij dat ik vandaag voor mijn vieze spijkerbroek heb gekozen. Ik kijk uitdagend terug en de vrouw wendt haar hoofd af.

'Moet je dit zien!' Bo houdt een gigantische hoed omhoog. Ze drukt hem op haar hoofd en kijkt me zwoel aan. Ze tuit haar lippen. 'Ben ik niet bééldig?'

'Énigjes,' zeg ik.

'Ik ga dit passen, neem jij die twee dingen.' Bo verdwijnt in de pashokjes en ik volg met een zwarte broek en een glittertopje. Ik wurm me in de broek, die maar net dichtgaat. Naast me hoor ik Bo giechelen.

Ik zwaai de deur van het hokje open en kijk in de spiegel. Proestend sla ik een hand voor mijn mond. Nu ben ik pas écht een Samantha. Zal ik het voor de grap meenemen, om mama te pesten? Ik kijk op het prijskaartje. Zo, zeventig euro voor het topje en tweehonderd voor de broek.

Bo laat op zich wachten. Ik hoor haar schelden en ik begrijp dat ze nu probeert de broek dicht te krijgen.

'Schiet nou op, mevrouw Van Dalen,' roep ik met een kakstem.

'Ja, mevrouw Speller. We hebben een ernstig probleem.'

'Wat is er aan het handje?'

'Incident vetrol.'

Ik begin te lachen en ik hoor Bo het ook uitgieren.

'Code rood, mevrouw Speller. Code rood!'

'Uhum.'

Ik draai me om en kijk naar de vrouw in het roze. Ze kijkt me onderzoekend aan.

'Wat een verrassing je hier aan te treffen, Samantha.'

Achter haar rug zie ik Elsa staan.

'Ik heet Sam.'

'Natuurlijk,' zegt de vrouw. 'Nou, dag.'

Ik zie dat Elsa aarzelt. Ze kijkt me verlegen aan. Ze lijkt iets te willen zeggen.

'Elsa!' roept haar moeder bij de deur. 'Kom je?'

'Ja, ik kom!' Haar stem klinkt helder. 'Nou, dag... Sam.'

Ze draait zich snel om en rent naar haar moeder.

Bo komt het hokje uit en steekt haar armen in de lucht.

'Tadááá!' roept ze. 'Hè, wat moest die trol hier?'

Ik kijk Elsa na. Haar blonde haren zwaaien heen en weer als ze loopt.

'Wat?' zeg ik afwezig.

'Wat moest die meid hier?'

Ik kijk naar Bo en zie haar buik over de broek puilen. Ze is helemaal rood van inspanning.

'Niks,' lach ik. 'Je ziet er beeldig uit.'

Zes

Lieve Wendy,

Benjamin, wat moet ik met hem? Ik heb het er niet meer
met Bo over gehad. Ik weet ook niet wat ik moet zeggen en
ik heb hem al een tijdje niet gezien.
Ik ben nooit echt verliefd geweest. Ik kreeg er de kans niet
voor. Telkens als ik interesse in een jongen had koos hij
voor Bo. Dat kun jij je vast nog wel herinneren. Maar nu is
het anders. Bo kent Benjamin niet en ik maak een kans.
Voor het eerst in mijn leven ben ik dichter bij een jongen
dan ooit. Ik heb zijn familie zelfs al ontmoet! Het duizelt
me soms. Ik durf hem niet aan te raken, het lijkt wel alsof
hij te mooi voor me is.
Ik kan me niet voorstellen hoe het is om met hem te
zoenen. Om zijn handen op mijn lichaam te voelen. Hoe hij
woordjes in mijn oor fluistert als we samen langs het meer
lopen. Het lijkt allemaal zo ver weg, en toch is het dichtbij.
Toen hij me vastpakte tijdens het schilderen was hij ineens
zo bereikbaar. Ik voelde zijn adem en als ik me omgedraaid
had, hadden onze lippen elkaar geraakt. En toch durfde ik
niet.
Ik heb nog nooit zo'n jongen ontmoet. Een jongen die
interesse toonde in MIJ. Meestal praatten ze tegen me om
met Bo in contact te komen. Zoals die nare Engelsman bij
het meer. Bij Benjamin is alles anders. Help!

Was je maar hier.
X Sam

Mama komt mijn kamer binnen met een dienblad. Twee dampende koppen thee en ontbijtkoek. Waar heb ik dat aan te danken?

Dan zie ik het papier in haar handen en ik schrik. Hoe komt ze aan mijn rapport? Ik had het toch onder in mijn tas gestopt?

'Samantha, we moeten het hier even over hebben.'

Ze gaat op mijn bed zitten en ik stop de brief aan Wendy snel onder de deken.

'Het gaat niet goed, hè?' Ze wijst op de vijven voor wiskunde en geschiedenis.

Nee, het gaat niet goed. Maar waarom moeten we het er nu over hebben? Het is vakantie!

'Wil je soms bijles?'

Ik schud mijn hoofd. 'Ik ga volgend jaar gewoon meer mijn best doen.' Ik pak het rapport van haar over en leg het achter me neer.

'Als er wat is, kun je het tegen ons zeggen. Papa en ik willen je graag helpen.'

'Ja ja, dat weet ik.'

Mama neemt een slok thee.

'Ga je vanmiddag mee winkelen? Julia heeft een nieuwe broek nodig en jij kan ook wel wat nieuws gebruiken.'

Ik weet precies wat erachter zit. Als ze mee gaat winkelen kan zij bepalen wat ik koop.

'Ik ga al zwemmen met Bo vanmiddag.'

'Goed.' Mama staat op.

'Mam?'

'Ja?'

Ik haal diep adem. 'Dankjewel voor de thee.'

Mama glimlacht. Dat heb ik haar in geen tijden zien doen. 'Graag gedaan.'

'Ik moet gaan, we eten vroeg vandaag omdat mijn moeder vanavond moet werken.' Bo pakt haar handdoek en badpak bij elkaar en geeft me een zoen. 'Zie ik je snel weer?'

Ik kijk mijn vriendin na. Bij haar fiets hijst ze haar rokje behendig op, slaakt een kleine gil als ze het hete zadel voelt en zwaait nog een laatste keer.

Zal ik ook naar huis gaan? Ik kijk naar het verleidelijke water en besluit nog een laatste duik te nemen. Mama en Julia zijn vast nog niet terug van het winkelen. Ik plens in de rondte en duik een paar keer onder. Dan drijf ik op mijn rug en speel met mijn handen door de modder.

Er is niemand meer te zien bij het meertje. Vreemd, want normaal is het altijd druk rond dit uur. Ik sluit mijn ogen en voel hoe de stroming me meeneemt, terug naar de kant. Daar raken mijn billen de grond. Ik blijf liggen. Bij elke gedachte voel ik een golfje over mijn hoofdhuid glijden. Ik denk aan mijn brief aan Wendy.

De doos onder mijn bed begint behoorlijk vol te raken. Het zijn er misschien al wel vijftig, allemaal keurig in een envelop met haar naam en adres erop.

Plotseling voel ik dat er iemand naar me kijkt. Ik kom haastig overeind en zie Elsa op mijn handdoek zitten. Wat moet zij daar nou? Het lijkt wel of ze me volgt!

Ik loop naar haar toe en gris de handdoek onder haar billen vandaan. 'Wat kom je doen?' vraag ik, terwijl ik de handdoek omsla.

'Niks,' zegt ze. 'Hetzelfde als jij, denk ik.'

'Ik kom zwemmen. Jij niet zo te zien.' Ik kijk naar haar spijkerbroek. 'Stik je niet in die lange broek?'

Elsa kleurt een beetje en ik plof naast haar in het zand.

'Is je school leuk?' vraagt Elsa. Ik hoor de onzekerheid in haar stem.

'Maak je geen zorgen, zulke jongens als die Engelsman zitten er niet op.'

'Die was wel heel erg, ja. Vooral wat hij tegen jou zei. Dat je op een jongen...'

'Ik moet gaan, ik ga vroeg eten.' Ik sta op en prop mijn kleding in een tas.

'Sorry, ik wilde niet...'

'Het is oké.'

Elsa kijkt me geschrokken aan. Haar blonde haren schitteren en haar blauwe ogen lijken nog groter dan de vorige keer. Die lange haren... Had ik die maar.

'Ik zie je op school,' roep ik, terwijl ik op mijn fiets stap.

'Niet eerder?' vraagt Elsa.

'Alleen als mijn moeder de jouwe weer uitnodigt voor een "gezellig" dineetje,' zeg ik bot.

Vlak voor mijn huis bots ik bijna tegen Benjamin op. Hij heeft een plastic zak in zijn ene hand en in de andere drie ijsjes. Ik rem af en gooi mijn fiets tegen ons hek.

'Hulp nodig?'

Benjamin kijkt dankbaar als ik de zak overneem.

'Je krijgt een ijsje.' Hij lacht.

'Hoe gaat het met de verbouwing?'

Vanochtend hoorde ik hen al vroeg boren. Mama klaagde over aso's. Papa knorde dat hij nooit eens normaal kan uitslapen.

'Het schiet al aardig op,' zegt Benjamin. 'Morgen komt er iemand voor het dak, volgens mij is dat nodig aan vervanging toe.'

Ik kijk omhoog. Op sommige plekken hebben de dakpannen losgelaten en zit een zwart gat. Ik hoop zo dat het allemaal goedkomt.

'Kom je?' vraagt hij als ik twijfelend bij het hek sta.

Ik kijk naar de villa. 'Ik... misschien kan ik beter niet mee naar binnen.'

'Waarom niet?'

'Je moeder,' zeg ik verlegen.

'O dat,' lacht Benjamin. 'Dat is ze allang vergeten.'

Benjamin gooit de voordeur open en Rosa komt meteen op hem af gestormd. Als ze mij ziet begint ze helemaal te glunderen. Nog voordat ik iets kan zeggen tegen Jacky pakt Rosa mij bij de hand en trekt me mee. Ik moet haar nieuwe kamer zien.

Ik moet toegeven dat de puinhoop een stuk minder is. Overal zijn mannen aan het werk en de stukken plafond zitten in grote zakken die tegen de muur staan. De kamer van Rosa is op de tweede verdieping, vlak onder het dak. Het raam begint al bij de vloer en ik word draaierig van de hoogte. Aan de overkant ligt ons huis. Stijf en saai. Rosa wijst enthousiast op de sterretjes op het plafond, die 's nachts licht geven.

'Dit is voor jou,' zegt ze.

Ik pak het vel papier aan en dan schiet ik in de lach. Ze heeft een groot bruin paard getekend en een ridder. *Benjaamien*, staat eronder gekrabbeld. Even voel ik een golf van warmte door me heen gaan. Ik knipper snel een traan weg. Benjamin staat achter me en legt een hand op mijn schouder.

'Mooi hè? Ze was helemaal weg van je verhaal.'

Ik durf hem niet aan te kijken. Ik heb spaghettibandjes aan, en onder zijn hand begint mijn huid te gloeien. Kon hij daar maar eeuwig blijven liggen.

'Hij is prachtig,' stamel ik.

'Wil je mee-eten?' vraagt Benjamin. 'Ik kook vanavond.'

Ik schud balend mijn hoofd. 'Mijn moeder wordt laaiend als ik niet op tijd thuis ben.'

Benjamin knikt begrijpend. 'Het geeft niks.'

Ik kijk snel naar de tekening om me een houding te geven. Hij moest eens weten wat er allemaal over hem en zijn familie gezegd wordt. Ik schaam me dood dat ik bij mensen hoor die zo vreselijk tegen hen zijn. Konden die maar één moment zien wat ik zie, dan zouden ze gek op hen zijn.

'Neem je de tekening mee?' vraagt Rosa.

'Wat denk jij?' zeg ik. 'Die komt boven mijn bed te hangen!'

'Mag ik nu jouw kamer zien?'

Ik schud mijn hoofd. 'Een andere keer, goed?'

Hoe kan ik haar ooit stiekem meenemen? Van mama mag ik niet eens meer bij hen over de vloer komen.

Benjamin pakt mijn hand. 'Kom, ik laat je de rest ook even zien.'

We nemen een andere trap naar beneden en Benjamin laat alle kamers zien.

'Dit worden de kamers voor de gasten.' Benjamin trekt een deur open. 'Deze is al bijna af.'

Ik stap een gele kamer binnen met een rood bed. Op het nachtkastje staat een vaasje bloemen. De hele kamer ruikt ernaar.

'Zou je hier wel willen logeren?' vraagt Benjamin.

'Ja, het is geweldig. Hoeveel kamers komen er?'

'Vijf,' zegt Benjamin. 'En beneden komt een gezamenlijke woonkamer. De keuken is de plek waar gekookt gaat worden en de gasten eten wat de pot schaft.'

'Alleen maar omeletten?' vraag ik verbaasd.

Benjamin grijnst. 'Nee, ik ga koken. Mama helpt een handje mee, maar ik laat haar nooit aan mijn pannen zitten.'

'En wie gaat er dan bedienen?' vraag ik verbaasd. Ze kunnen toch moeilijk alles alleen doen?

Benjamin leunt op de trapleuning en wrijft met de rug van zijn hand over zijn wang. 'Ja, dat wilde ik je nog vragen...,' aarzelt hij.

Ik kijk hem vragend aan. 'Wat?'

Benjamin lacht verlegen. 'Jacky en ik willen jou als serveerster deze zomer.'

Ik voel hoe mijn mond open zakt. 'Ik... Dat kan ik helemaal niet!'

Benjamin schudt zijn hoofd. 'Onzin, alles kun je leren.'

'Maar...,' zeg ik. 'Hoe kan... Ik bedoel...'

'Je krijgt gewoon betaald,' zegt Benjamin snel. 'En je hoeft maar een paar uur per dag te werken. Het is alleen voor de avonden. Het ontbijt doen we zelf. Vijf kamers, maximaal twee gasten, is tien mensen. Denk je dat je dat aankunt?'

Ik grijp me vast aan de leuning. Het begint een beetje te duizelen. Ik, als serveerster. Ik zie mezelf al lopen met een dienblad vol glazen.

'Over anderhalve week komen de eerste gasten. Kan ik op je rekenen?'

Ik kijk in zijn ogen. Zijn zwarte pupillen lijken me te doorboren. Ik wil hem zoveel zeggen. Vertellen hoe vreselijk verliefd ik op hem ben. Dat hij de reden is dat ik elke ochtend met een glimlach wakker word. Of hij op me kan rekenen? Ik wil alles voor hem doen.

'Tuurlijk,' zeg ik.

Benjamin steekt twee armen in de lucht en begint te juichen. Jacky komt haastig de trap op. 'Wat is er aan de hand?'

'Ze doet het!' brult hij.

Jacky kijkt me glunderend aan. 'Geweldig meid, kom hier!' Ze steekt haar armen uit en mijn neus wordt in haar kleren geboord. Kennelijk is ze niet meer boos. Dan voel ik nog twee armen om me heen. Die moeten van Benjamin zijn. Het lijkt alsof mijn voeten loskomen van de vloer.

'Welkom in Villa Knollebol,' zegt Rosa.

We kijken haar verbaasd aan. Benjamin en Jacky laten me los. 'Villa Knollebol lijkt me niet echt gepast,' zegt Jacky. 'Maar een leuke naam is wel belangrijk.'

'De villa,' zegt Benjamin. 'Beetje saai, hè?'

'Villa *Freaky*,' zeg ik. Jacky lacht.

'Villa Benjamin,' zegt Rosa.

Ik kijk naar Jacky, die goedkeurend knikt. 'Dat klinkt best goed, vinden jullie niet?'

Benjamin glimt van trots. 'Een villa die vernoemd is naar m...'

'De ridder van Knollebol,' onderbreekt Rosa hem.

Benjamin kijkt me verbluft aan, en ik kan mijn lachen niet inhouden. Ons geschater galmt door de villa.

Lieve Wendy,

Vanmiddag schrok ik van mezelf. Het is niks voor mij om zo bot te doen. Elsa had toch helemaal niks verkeerds gezegd? Behalve dat ze me herinnerde aan die botte opmerking van die Engelsman. Maar ook al had ze dat niet gezegd, hij spookt toch telkens door mijn hoofd. Nee, het was iets anders. Misschien doet ze me wel te veel aan jou denken. Ze is knap, blond, heeft een engelachtig gezichtje en Bo haat haar.

X Sam

De brief komt op de stapel terecht. Ik laat mijn vingers langs de enveloppen glijden. Drieënvijftig stuks. Met een diepe zucht duw ik de doos uit het zicht. Misschien moet ik ze beter verstoppen. Het idee dat mama of Julia die brieven onder ogen krijgt is onverdraaglijk.

Beneden hoor ik de bel en even later de stem van Benjamin. Ik kom geschrokken overeind en ren de trap af. De laatste drie treden spring ik. Mama staat bij de voordeur en kijkt mij verbaasd aan.

'Samantha,' zegt ze met een vies gezicht. '*Bezoek*.'

Ik duw Benjamin voorzichtig naar buiten en trek de voordeur dicht.

'Wat kom je doen?' hijg ik.

Benjamin fronst zijn wenkbrauwen. Hij kijkt naar de voordeur en dan weer naar mij. 'Wat was dat?'

'Niks, ze is gewoon een beetje gestresst.'

Benjamin kijkt me doordringend aan. Zijn ogen staan verdrietig. Hij weet het, schiet het door mijn hoofd. Hij heeft het door.

'Ik ga maar.' Benjamin draait zich om en slentert weg over het grindpad.

Kan ik hem zomaar laten gaan? Ik ren naar hem toe en grijp zijn arm. 'Je ziet het helemaal verkeerd,' fluister ik.

Benjamin schudt zijn hoofd. 'Ik snap het heus wel. Ik ben niet welkom hier.'

'Het is mijn moeder,' leg ik uit. 'Ze is gestoord.'

'Hou maar op,' zegt Benjamin. 'Ik snap het al. Daarom mag Rosa je kamer niet zien, hè?'

Hij mag niet weggaan nu. Hij moet niet denken dat ik net zo ben als mijn moeder. Ik ben dol op hem en op zijn familie. 'Wacht, laat het me nou uitleggen!'

Benjamin schudt zijn arm los en ineens staan zijn ogen kwaad. Gekwetst en kwaad. 'Laat me los. Ik hoef je niet meer te zien.'

Nog voordat ik iets kan zeggen begint hij te rennen.

Zeven

Er gaan een paar dagen voorbij en Benjamin laat niks van zich horen. Ik ook niet.

's Ochtends vroeg word ik wakker van het geboor in de villa. Soms zie ik een container vol puin langs mijn slaapkamer komen. Dat is het enige contact dat ik met de familie heb. Ik durf niet meer langs te gaan. Het idee dat ze denken dat ik een racist ben is vreselijk. Die blik in Benjamins ogen, alsof ik een volslagen vreemde was. Hoe kan hij nou denken dat ik zo ben? Omdat mijn moeder zo is?

Mama heeft niet meer gevraagd naar het gesprek bij de voordeur. Ik denk dat ze het wel doorheeft. Bij het ontbijt maak ik ruzie met Julia.

Het is tien uur en ik kijk naar de villa. Julia geeft de broodmand aan mama, die haar bedankt. Het voorbeeldige gedrag maakt me razend.

'Hou eens op, wil je?' Ik kijk mijn zus kwaad aan.

'Waarmee?'

'Met het trutje uithangen!'

'Samantha,' sust mama. 'Laten we het gezellig houden.'

'Waarvoor?' roep ik. 'Zit er soms een collega onder het aanrecht?'

Beng. Die was raak. Mama trekt wit weg en begint kwaad een boterham te smeren. De harde boter maakt haar broodje helemaal kapot. Nijdig smijt ze het mes naast haar bord en kijkt me aan. 'Nu is het genoeg. Ik ben jouw pesthumeur meer dan zat.'

'Het komt anders wel door jou dat ik zo'n pesthumeur heb!'

'Pardon?'

'Het is uit met haar vriendje,' zegt Julia.

'Hij is mijn vriendje niet,' bijt ik haar toe.

De bel gaat. Ik vergeet Julia en snel ernaartoe. Benjamin, denk ik. Hij komt het goedmaken! Met een grote zwaai gooi ik de deur open en kijk in het gezicht van Bo.

'Had je iemand anders verwacht?' lacht ze. 'Je kijkt zo beteuterd.'

Ik laat mijn vriendin binnen. Het lukt me nauwelijks mijn teleurstelling te verbergen. Bo trekt haar badpak uit haar tas en kijkt me vragend aan.

'Ik weet dat we deze week al vijf keer hebben gezwommen, maar het is nog altijd lekker weer en ik dacht: misschien kunnen we nu naar het zwembad gaan.'

Ik heb meer zin om de hele dag in bed te blijven, een brief te schrijven aan Wendy en muziek te luisteren. Maar Bo kijkt me zo smekend aan dat ik geen nee kan zeggen.

'Ik kom eraan.'

Zonder Julia en mijn ouders een blik waardig te keuren pak ik mijn zwemspullen. Met een wild gebaar haal ik mijn fiets van het slot. Ik zie Bo veelbetekenend kijken.

'Ruzie?' vraagt ze.

'Voor de zoveelste keer.'

'Met Juultje?'

'Ook. Maar dat boeit me niet zoveel. Benjamin is kwaad op me.'

Bo kijkt me verbaasd aan. 'Je nieuwe buurjongen? Maar hij bood je een baantje aan!'

'Hij denkt dat ik een racist ben.'

'Oei, hoe komt hij daarbij?'

'Omdat mama het is,' zeg ik luchtig.

Bo lacht. 'Ja, je moeder is niet zo dol op de nieuwe buren. Maar ziet hij dan niet dat je anders bent? Je lijkt toch voor geen meter op je moeder!'

'Ik snap het ook niet,' zeg ik. 'Ik dacht écht dat Benjamin om me gaf. Die blikken, de manier waarop hij zijn hand op mijn schouder legde. En nu ineens is het allemaal over. Hij gaf me niet eens de kans om het uit te leggen.'

Kwaad trap ik over het fietspad. Bo heeft moeite me bij te houden, maar klaagt niet. Gelukkig maar, straks krijgt zij ook nog een uitbrander.

Van een afstandje zie ik de hoge duikplank al. Mijn tenen beginnen te kriebelen en ik krijg het een beetje benauwd. Eén keer ben ik erop geklommen. Tien meter hoog. Bo wilde nog springen, maar ik durfde voor geen goud.

Bo betaalt voor de toegang en we sluiten ons op in een veel te klein hokje. Bo trekt snel haar bikini aan en het valt me op dat je precies kan zien waar hij gezeten heeft. Haar bandjes staan wit op haar bruine huid. Bo wordt altijd prachtig bruin, terwijl ik vaker verbrand.

Onhandig wurm ik me in mijn badpak. Het plakt tussen mijn billen en ik trek het snel recht. Bo kijkt me lachend aan. Ik geef haar een uitdagende blik terug.

Het is druk bij het zwembad en ik mis mijn meertje. Ik heb niks met het chloorwater en het gegil van kleine kinderen. Bij het meer is het ook druk, maar anders.

Op het grasveld zoeken we een plekje bij een boom. In de schaduw passen onze handdoeken net naast elkaar. Bo rent meteen naar het bad en maakt een bommetje in het diepe. Een paar meisjes aan de kant beginnen hysterisch te gillen.

Ik spring ook in het water. Ik laat me diep onder water zakken en zwem een rondje. Overal zie ik spartelende benen en ik krijg zin om er eentje te grijpen. Als een haai, die zijn prooi aanvalt.

Het vage geluid van de stemmen rond het zwembad maakt me rustig. Zoveel mensen, maar niemand die me ziet. Ik vind het heerlijk onder water. Als ik bovenkom ploppen mijn oren open en hoor ik de stemmen weer op het normale volume. Bo is nergens te zien. Die is vast van de glijbaan af.

'Hé,' hoor ik achter me.

Benjamin zit op de rand van het zwembad. Zijn gele zwembroek steekt fel af tegen zijn donkere huid. Op zijn borst heeft hij een tattoo van een soort bloem. Dat had ik niet verwacht.

'Hé,' zeg ik verlegen.

'Ben je hier alleen?' vraagt hij. Hij wiebelt met zijn benen heen en weer in het water.

'Nee, mijn vriendin is hier ook.' Ik kijk om me heen, maar Bo is nergens te bekennen.

'Ik heb pauze van het verbouwen,' zegt Benjamin. 'Even een frisse duik nemen.'

Ik knik. 'Goed plan.'

Ik voel onder mijn tenen een scherp stukje bodem en denk aan de punaise bij Benjamin thuis. Hoe ver zou het huis zijn? Is het al bijna af? Mag ik er nog komen werken? Er schieten wel honderd vragen door mijn hoofd, maar ik stel ze niet. Het zou het moment verpesten, het moment van nu, waar we even geen ruzie hebben en ik ongestoord naar hem kan kijken.

Op Benjamins benen zitten zwarte haartjes en op zijn

armen staat kippenvel. Zijn haren zijn nat. Ik kan mijn ogen niet van de tattoo afhouden.

'Het spijt me.'

Ik kijk hem verbaasd aan. Hoor ik het goed, of zei iemand anders dat? Ik kijk om me heen, maar er is niemand tegen me aan gebotst en niemand kijkt onze kant op. Met Benjamin samen alleen op de wereld, in een vol zwembad.

'Ik snap het niet,' zeg ik.

Benjamin leunt op zijn armen en springt het water in. Zijn gezicht is ineens heel dichtbij. Ik knijp mijn ogen dicht tegen de felle zon en ik zie een druppel water aan zijn neus hangen.

'Ik had nooit zo weg moeten rennen.'

'Ik had nooit tegen je mogen liegen. Mijn ouders zijn gewoon... Ik kan er ook vaak niet tegen.'

Benjamin lacht. Zijn tanden lijken witter dan ooit. 'Hou eens op.'

'Maar je moet wel weten dat ik het totaal niet eens ben met mijn moeder.'

'Het is al goed. Wil je nog bij ons komen werken?'

Ik kijk hem blij aan. 'Natuurlijk. Wanneer kan ik beginnen?'

'Over een week komen de eerste gasten,' zegt Benjamin. 'Het wordt prachtig.'

'Ik kom snel kijken,' zeg ik. 'Ik zeg thuis gewoon dat ik naar Bo ga.'

Even ben ik bang dat Benjamin boos zal worden, maar hij lacht alleen maar. 'Liegen mag alleen voor een goed doel. En Villa Benjamin ís een goed doel.'

'O ja, die villa die vernoemd is naar die ridder.'

Benjamin heft zijn hand op. 'Pas op, jij!'

'Welke Benjamin anders...'

Benjamin grijpt mij bij mijn schouders en duwt me onder water. Ik probeer me los te wurmen, maar hij is beresterk. Proestend van de lach kom ik boven. Benjamin wil me nog een keer onderduwen, maar ik hou hem tegen.

'Alsjeblieft, ik... ik neem het terug.'

'Zeg het. Naar wie is die villa vernoemd?'

'Ik geloof...' giechel ik. 'Ik geloof dat Rosa een knuffel had die Benjamin heette.'

Nog voordat Benjamin iets kan doen ren ik door het water. Achter me hoor ik een kreet. Ik voel zijn handen op mijn schouders en ik ga weer kopje-onder. Dan sluiten twee sterke armen om mijn middel en even later hang ik over zijn schouder. Van alle kanten staren de mensen naar ons. De tuttige meisjes aan de kant kijken jaloers.

'Zet me neer,' roep ik.

'Op één voorwaarde,' zegt Benjamin.

'Ik doe alles,' zeg ik. 'Alles.'

Benjamin zet me langzaam op de grond en wijst op de duikplank. 'Ga je mee van de hoge?'

Lieve Wendy,

Het gesuis in mijn oren voel ik nog steeds. Boven aan de duikplank leken de mensen in het zwembad wel mieren. Eén grote mierenhoop waar ik in moest springen.
Benjamin stond achter me. Mijn hele lichaam voelde koud aan. De wind blies dwars door mijn badpak en mijn lichaam heen.
Alles zag ik in slowmotion, net als in een film. De mensen achter Benjamin begonnen te roepen dat het te lang duurde, maar ik nam mijn tijd. Voetje voor voetje

schuifelde ik naar de rand van de plank. Die boog
gevaarlijk door onder mijn gewicht. Beneden zag ik Bo
bang omhoog kijken. Wat ze naar me riep kon ik niet
verstaan. Ik was alleen met Benjamin en de wind.
Ik snap het niet, Wendy. Ik had toch hoogtevrees? Maar
opeens leek het helemaal niet hoog meer te zijn. Ik keek om
en zag hem daar staan. In zijn gele zwembroek, met die
vreemde tattoo op zijn borst. Ik had op dat moment alles
voor hem over. Dus ik sprong.

X Sam

Acht

'Je bent net een ijsbeer,' lach ik. Benjamin loopt door de hal van de villa heen en weer en kijkt telkens op de klok. Ik zit naast Rosa op het kleine bankje naast de ingang en heb een boek op mijn schoot. Zelf ben ik ook nieuwsgierig. Wie zijn de gasten, hoe zien ze eruit, wat vinden ze van de villa? Benjamin zei dat het twee mannen waren.

'Waar blijven ze nou?' Ik volg zijn blik naar de klok. Twee minuten verder.

Jacky komt de hal in met een dienblad in haar handen. Ik zie dat ze op haar nagels heeft gebeten, net als ik. Ze draagt een paars pak dat ieder ander afschuwelijk zou staan. Op de een of andere manier kan zij het hebben.

'Thee, Sam?'

'Ja, graag. Eén schepje suiker. En doe Benjamin maar een pilletje.'

Benjamin kijkt me aan. 'Ha ha.'

Jacky lacht. 'Lieverd, het gaat niet sneller als je zo loopt te dralen, hoor.'

'Laat me nou maar,' snauwt Benjamin.

De enige die nergens last van lijkt te hebben is Rosa. Ze is helemaal geboeid door het boek op mijn schoot met plaatjes van dieren op de Noordpool.

'Staat alles klaar?' vraagt Benjamin. 'De koffie en de lunch? En zijn de bedden opgemaakt?'

Jacky klopt naast haar op het bankje. 'Kom even zitten. Ik krijg een beroerte van je.'

Benjamin gaat met tegenzin zitten. Nu begint hij met

zijn vingers op de leuning te trommelen. Dan heb ik liever die ijsbeer.

De bel doet me schrikken. Benjamin springt in één beweging op en rukt de voordeur open.

'Goedemiddag,' hoor ik hem zeggen. Hij heeft een nette stem opgezet die ik nauwelijks herken. 'Welkom.'

'Hi there,' hoor ik een andere stem zeggen. 'We booked one room for two persons.'

'Yes, come in please. Can I take your bag?'

'No bother, thank you.'

Benjamin houdt de deur open en er stappen twee jongens naar binnen. Ze hebben grote rugzakken bij zich en de voorste draagt een spijkerjack. Zo'n afgeknipte.

Lieve Wendy,

Uitgerekend die KWAL komt in de Villa logeren! Dat geloof je toch niet? Ik kon moeilijk tegen Benjamin en Jacky zeggen dat ze hem weg moeten sturen. Het zijn de eerste gasten. Benjamin leek wel te denken dat ze van goud waren. Ik heb hem nog nooit zo blij zien kijken.

'Onze éérste gasten!' fluisterde hij opgewonden toen ze naar hun kamer gingen. De lunch ging trouwens best goed, ondanks dat ik een paar borden heb laten vallen. Benjamin wilde per se dat ik mee-at.

Ik zag die Engelsman wel de hele tijd kijken, maar hij heeft niks gezegd. Godzijdank. Ik moet er niet aan denken dat hij mij een 'boy' noemt waar Benjamin bij is. Volgens Jacky blijven ze een aantal weken. Ik vraag me af wat ze in zo'n suf dorp moeten. Ze zijn er ook al twee weken. Volgens Teddy (zo heet die engerd... Hij is de meest afgrijselijke knuffel die ik ooit gezien heb!) zijn ze hier voor zaken. Iets met auto's.

Bo zei twee weken geleden nog: 'Op een vakantie om nooit te vergeten.' Volgens mij gaat ze gelijk krijgen.

X Sam

Morgen begint mijn eerste werkdag. Jacky heeft me vandaag nog even vrij gegeven. Ik heb Bo al ingeschakeld, die zal de schijn ophouden dat ik bij haar ben. Ik voel me zenuwachtig en gelukkig tegelijk. Ik kijk naar de doos met brieven op mijn schoot. Zal Wendy ze ooit te lezen krijgen?

'Wat ben je aan het doen?' Julia staat ineens in mijn kamer en ik krijg de kans niet om de doos te verstoppen.

'Kan jij niet kloppen?'

'Woooow,' zegt ze met grote ogen. 'Van wie zijn al die brieven?'

Ik schuif de doos snel onder mijn bed, voordat mijn zusje Wendy's naam kan zien. 'Niemand.'

'Het lijken er wel honderd!' roept Julia uit. 'Heb je een vriendje?'

'Doe niet zo gek.'

'Wat dan?'

Alles is beter dan dat ze weet van Wendy.

'Ja, ik heb een vriendje, nou goed?'

'Wie is het?' Julia lijkt ineens weer even op het meisje van vroeger. Hoe ze gretig naar me keek als ik vertelde over de jongens uit mijn klas.

'Hij heet Willem.'

'Waar ken je hem van?'

Ik sta op en duw mijn zus richting de deur. 'Gaat je niks aan. Je weet alweer veels te veel.'

'Komt hij op je verjaardag?'

'Nee,' zeg ik en ik geef haar een stomp. Ik wil niet aan mijn verjaardag denken.

'Kan hij goed zoenen?' vraagt ze pesterig.

Ik voel dat ik rood word. Niemand weet dat ik nog nooit met een jongen gezoend heb. Dat is één van mijn grootste geheimen. Zelfs Wendy heb ik het nooit durven schrijven.

Julia dendert de trap af. 'En je houdt je kop tegen papa en mama,' roep ik haar achterna voordat ik mijn deur dichtknal.

Het is al schemerig buiten. De warme wind blaast door mijn haren. Met een volle maag fiets ik naar het meer. Mama heeft heerlijk gekookt en voor het eerst sinds tijden was het gezellig aan tafel.

Julia heeft niks verteld over 'Willem', maar keek me wel telkens geheimzinnig aan. Het deed me denken aan vroeger, toen we samen geheimen deelden die niemand mocht weten. Ik voel dat er een lach op mijn lippen ligt.

Ik ga op de trappers staan en fiets nóg harder. De bomen flitsen voorbij en het voelt alsof ik vlieg. Daar is het al. Achter deze struiken ligt een veldje aan het water, maar er gaat geen pad naartoe. Ik moet een heel stuk door het bos lopen, met de fiets aan de hand. Volgens mij ben ik de enige hier die het kent.

Vroeger ging ik er altijd heen met Wendy. Dan spraken we 's avonds laat af, als iedereen al sliep. Soms nam ze wat drinken mee, en één keer zelfs een fles wijn. We waren dertien en ik vond het vreselijk vies. Toch hebben we samen een paar glazen gedronken. Ik kan me nog herinneren hoe stoer ik me voelde.

Wendy keek me geheimzinnig aan. 'Zullen we zwemmen?' vroeg ze, met die zachte stem van haar. Ik twijfelde. Het water was afgekoeld, wist ik. Toch trok ik mijn kleren uit. In mijn onderbroek en hemdje stond ik aan de waterkant. Toen kwam Wendy ineens langs me heen gerend. Het maanlicht weerkaatste op haar witte rug. Ze was helemaal naakt. Ze sprong een paar meter door het water en draaide zich toen om. Haar tepels leken wel zwart. 'Kom je nog?' riep ze. Met die blonde haren langs haar schouders leek ze wel een zeemeermin.

Ik ga in het mulle zand zitten en laat het door mijn vingers glijden. Met een diepe zucht kijk ik over het meer. Het water glinstert en ik voel weer die magie van toen. Dit is een wereldplek.

Wendy was naar me toe gelopen. Nog nooit had ik een bloot iemand van zo dichtbij gezien. Ze leek zich niet te schamen. Ze bewoog zo vrij, alsof ze alleen op de wereld was. 'Het water is heerlijk,' riep ze. Zelfs als ze riep klonk haar stem niet hard. Bo ergerde zich eraan, ik vond het wel wat hebben. Want ook al praatte ze zacht, er was niemand die haar niet hoorde.

Ik voel een traan in mijn ooghoek. Instinctief kijk ik om me heen of niemand het ziet. Natuurlijk niet, er is hier niemand. Ik laat de traan komen en voel hem langs mijn neus naar beneden vallen. Waarom doen die herinneringen zoveel pijn?

Wendy trok me mee het water in. Mijn onderbroek en hemdje plakten aan mijn lichaam. Wendy kwam naast me zwemmen tot halverwege het meer. Daar konden we nog steeds staan, maar het water kwam tot onze kin. Ik bedacht me dat het zo'n moment was dat ik moest onthouden.

De momenten samen met Wendy waren altijd speciaal, maar dit vergeet ik nooit. Wendy keek me heel serieus aan. 'Ik ben blij dat ik je ken,' zei ze. Ik vroeg me af of het door de wijn kwam. 'Ik jou ook,' zei ik, waarbij ik meteen een slok water binnenkreeg. 'Beloof je me,' zei ze, 'dat je me nooit alleen laat?'

Die zin, die paar woordjes. Daarin verschilt ze van Bo. Die kan dat soort dingen niet over haar lippen krijgen. Onzekerheid, daar moet ze niks van hebben. Maar Wendy zei wat ze dacht. Altijd. Ook al lachten mensen haar uit, dat kon haar niks schelen.

'Ik beloof het,' zei ik. Wendy boog zich voorover. Nog voordat ik iets kon doen voelde ik twee warme lippen op de mijne. Haar tong voelde spits aan en ik was te verbaasd om iets te doen. Ik stond er maar, met mijn armen langs mijn lichaam. Misschien duurde het twee seconden, misschien twee uur. Ik voelde geen tijd meer. Ik voelde alleen het koude water en haar warme adem.

Ik mik een steentje in het water. Waarom zoende ze me? Ik heb het haar nooit durven vragen. We zwommen terug en kleedden ons zwijgend aan. Mijn natte onderbroek hield ik gewoon aan. Mijn eerste zoen, mijn enige zoen, heeft zij gegeven. Een meisje.

'Mag ik erbij komen zitten?'

Ik schrik me rot van de stem naast me. Ik herken de opvallende gympen van Elsa meteen.

'Ja, natuurlijk,' zeg ik met een schorre stem. Elsa laat zich zakken en strekt haar benen in het zand. Haar lange broek lijkt net nieuw. Zeker gekocht toen ze met haar moeder winkelde laatst.

'Het is mooi hier,' zegt ze.

Ik snap niet hoe ze deze plek ontdekt heeft. Voor zover ik weet kent niemand het. Dus moet ze me wel hebben achtervolgd. Ik geef geen antwoord.

'Wat doe je hier zo laat?' vraagt Elsa.

'Ik denk na.'

'Over wat?'

'Dat gaat je niks aan.'

'Best.'

Ik kijk verbaasd opzij. Maar Elsa lijkt het echt niets uit te maken. Sterker nog, ze lijkt zelf ook na te denken. Het blijft een tijd lang stil. Als ik vijf keer tot honderd heb geteld durf ik pas weer opzij te kijken. Zo aan het meer, in het donker, lijkt ze vreselijk op Wendy. Haar haren zijn even blond en ze heeft ook een wipneusje. Alleen houdt ze haar kleren aan.

'Ik mag haar niet, als je dat soms denkt,' zegt Elsa plotseling. Ik schrik ervan.

'Wie niet?'

'Mijn moeder.'

'Ik mag haar ook niet.'

Elsa kijkt me lachend aan. 'Ze is onmogelijk, maar het blijft mijn moeder. Als ze me zo betuttelt... Ik vind het vreselijk.'

'Zeg er dan wat van,' zeg ik meteen. 'Nu lijk je net...'

'Een robot,' maakt Elsa mijn zin af. 'Ik weet het.'

Ik moet lachen. 'Zo bedoelde ik het niet.'

Elsa knikt. 'Ik weet het.'

Ik kijk weer naar het water. Zal ik haar zeggen dat het me spijt van die opmerking de vorige keer? Dat ik me als een trut gedroeg?

'Ik vergeef je,' zegt Elsa.

'Ik zei niks,' zeg ik verbluft.

'Ik voel wat je denkt,' zegt Elsa. 'Het geeft niet.'

'Ik kon je niet uitstaan,' zeg ik eerlijk. 'Omdat je als een dom schaap achter je moeder aan liep.'

'En ik vond jou juist stoer omdat je zo brutaal bent.'

Ik voel mijn maag een huppeltje maken. Dat ze dat zomaar zegt. Misschien valt ze toch wel mee en moet ik haar een kans geven. Tenslotte weet ik hoe het is om zo'n moeder te hebben. En meer dan één vriendin kan geen kwaad.

'Ik kom hier best vaak,' zegt Elsa. 'Om even te ontsnappen van thuis.'

Ze kent deze plek dus ook. Bijzonder.

'Heel herkenbaar,' lach ik. 'Heb jij ook zo'n stom zusje?'

'Ik ben enig kind. Saai, hoor.'

'Je mag de mijne wel hebben, voor een vriendenprijsje.' Bij het woord 'vrienden' lijkt ze even op te veren.

Wat is het toch met haar? Ze is zo vreselijk verlegen.

Ik sta op. 'Ik ga naar huis, fiets je mee?'

Elsa schudt haar hoofd. 'Ik blijf nog even hier.'

Bij mijn fiets kijk ik nog één keer om. Elsa's rug is gestrekt en haar haren komen tot aan de grond. Het meer glinstert als nooit tevoren.

Negen

66 | 'Dit is de aardappelschotel met salami en paprika, en daar staat de sla met avocado en grapefruit.'

De hoeveelheid ingrediënten doet me duizelen. Moet ik dat er echt allemaal bij vertellen?

Benjamin wijst op de borden. 'Deze zijn voor Teddy en Dave.'

Ik pak de borden zenuwachtig op. Mijn handen trillen. Ik weet zeker dat ik ze op de grond zal laten vallen. Benjamin houdt me tegen.

'Doe eens rustig, het lijkt wel alsof je de koningin moet bedienen.'

Ik pers er een glimlachje uit. Benjamin heeft geen idee hoe bang ik voor Teddy ben. In de eetkamer zitten de jongens aan de grote houten tafel. Teddy kijkt geamuseerd naar me als ik de borden voor hun neus zet.

'*Bo is her name, right?*'

Ik kijk hem geschrokken aan. Hoe weet hij Bo's naam?

'*She's pretty.*'

Ik negeer hem en schenk de wijnglazen vol. Als ik weg wil lopen grijpt Teddy mij bij de arm.

'*I always get what I want.*'

Met een gevoel van misselijkheid ga ik weer naar de keuken. De blik van die jongen, ik vertrouw hem voor geen meter. Ik moet Bo waarschuwen.

'Ik sprak je zusje vanmiddag,' zegt Benjamin, terwijl hij kersen op de toetjes legt. Hij veegt zijn handen aan zijn schort af en kijkt me aan. 'Ze is best oké.'

'Waar zag je haar?' vraag ik verbaasd.

'In het dorp. We botsten bijna tegen elkaar op bij het boodschappen doen.'

'Julia kan geeneens boodschappen doen, dan laat ze alles vallen.'

'Zit zeker in de familie.' Benjamin blikt naar de kapotte borden.

Vreemd genoeg klinkt er geen humor door in zijn stem. Hij lijkt eerder serieus. Ik probeer zijn blik te vangen, maar hij lijkt ineens heel erg geboeid door de kersen.

Lieve Wendy,

Benjamin leek wel boos vanmiddag. Komt dat misschien omdat ik hun halve servies heb gebroken? Ik kan er toch ook niks aan doen dat die dingen mijn handen uit glibberen? Ik wilde hem een zoen op zijn wang geven toen ik wegging, maar hij wendde zijn hoofd af.

Misschien is hij gewoon gestresst door de hele avond.

Teddy en Dave klaagden dat het allemaal niet snel genoeg ging. En het toetje vonden ze niet zoet genoeg.

Teddy zit achter Bo aan, hij weet haar naam al. En Bo doet wel alsof ze hem niet leuk vindt, maar ik weet wel beter. Teddy is helemaal haar type.

Kan jij je Simon nog herinneren? Wekenlang vond ze hem stom, en toch stonden ze ineens te zoenen op het schoolfeest. Hij had zijn handen op haar billen en die van haar verdwenen onder zijn T-shirt. Nou, als dat betekent dat je hem NIET leuk vindt...

Ik had je al verteld over Elsa, hè. Dat ze zo vreselijk veel op jou lijkt. Nou, gisteren zat ik op ons plekje en verscheen zij ineens. Ik weet niet hoe ze het ontdekt heeft. Maar zo aan

het meer, in de schemering, leek het wel alsof jij weer terug
was. Alsof je gewoon naast me zat. De vorige keer schrok
ik van de gelijkenis, maar nu ben ik blij. Ik ben blij dat ik
weer een beetje Wendy om me heen heb. Bovendien is ze
niet zo'n tutje als ik gedacht had. Haar moeder is vreselijk,
en dat vindt Elsa zelf ook. Misschien moet ik haar eens een
cursus mamaverweer geven.

Was je maar hier. Ik heb het je nooit durven vragen, maar
waarom zoende je me bij het meer? Was het zomaar een
zoen door de wijn, of zat er meer achter? Kon je me maar
antwoorden. Ik ben er onzeker door geworden.
Want hoe moet dat nou met Benjamin? Ik heb nog nooit
met iemand gezoend, behalve dus met jou. En dat stelde
niet zoveel voor. Ik stond erbij als een kamerplant.
Misschien ben ik helemaal niet goed in zoenen. Ik zou het
niet weten. De enige die dát kan weten ben jij.

X Sam

Ik zit in de achtertuin als ik Teddy aan zie komen. Hij
heeft een kleine rugzak om zijn schouders en loopt non-
chalant over het grindpad. Als hij mij ziet zitten stapt hij
van het pad af. Met een brede grijns leunt hij over het
tuinhek.
'How's life, boy?'
'I'm not a boy,' zeg ik dapper. Maar intussen voel ik
mijn hart bonzen.
'You look like one.'
'Go away.'
'Don't worry, I have to go to the city. To pick up a new car.'
Nog voordat ik iets kan zeggen loopt hij alweer verder.
Hij heeft een vreemd loopje. Alsof zijn ene been mank is.

'Wat lees je?' Julia komt naast me zitten en kijkt verbaasd naar Teddy, die nu een bocht om gaat. 'Wie is dat?'

Ik haal mijn schouders op. 'Geen idee,' mompel ik.

'Was dat Willem?' roept Julia.

'Wie?'

'Je vriendje,' zegt Julia.

Ik moet even diep nadenken. Dan weet ik het weer.

'Nee,' zeg ik. 'Willem is veel knapper.'

'O, hoe ziet hij er dan uit? Heb je een foto?'

Ik schud mijn hoofd. 'Ik zal hem er eens een vragen.'

Julia geeft me een glas water. 'Ik zag de buurjongen vanmiddag. Het lijkt wel alsof hij verliefd op je is.'

'Hoezo?' vraag ik. 'Wat heeft hij gezegd?'

'Niks,' lacht Julia geheimzinnig. 'Hij was gewoon geïnteresseerd.'

Ze zit me natuurlijk uit te dagen. Waarschijnlijk heeft hij helemaal niks gezegd over mij. Ik pak mijn boek en sla ermee op het hoofd van mijn zusje.

Julia begint nog harder te lachen. Als ik haar nog een keer wil slaan gooit ze het glas om.

'Hij is echt knap.'

Bo zit aan de keukentafel in de villa en kijkt hoe Benjamin en ik de salades opmaken. Er zijn gisteren nog twee gasten bij gekomen, dus het is druk. En uitgerekend nu komt Bo langs.

'Hij komt uit Londen,' gaat ze verder. 'Hij dealt auto's.'

'Onzin,' zeg ik. 'Hij dealt vast in drugs.'

Bo frunnikt aan haar nagels. 'Hij koopt oude auto's in, verbouwt ze, en verkoopt ze door. Met vijftig procent winst.'

'En waarom zitten ze dan in dit saaie dorp?' Ik strooi de pijnboompitjes uit over de salade. Ze branden nog een beetje na in mijn handen.

'Teddy geniet gewoon van een vakantie,' verdedigt Bo hem.

Zie je wel, ik was er al bang voor. Bo kan net zo onvoorspelbaar zijn als het weer. De ene dag vindt ze hem stom, de dag erna wil ze hem hebben. Ik weet nu ook hoe hij aan haar naam komt, die heeft ze hem gewoon gezegd. Ik wou ineens dat het nog aan was met die suffe Max. Alles beter dan die kwal daarbinnen.

'*Anyway*, we gaan morgenavond naar de disco. Heb je zin om mee te gaan?'

Ik kijk haar spottend aan. 'Ik ga nog liever in een bak met schorpioenen liggen. Grotere kans dat ik het overleef.'

Bo kijkt me smekend aan. 'Alsjeblieft? Ik zal alles voor je doen. Misschien is Dave wel iets voor je,' voegt ze eraan toe.

Ik kijk schichtig naar de reactie van Benjamin, maar die lijkt niks in de gaten te hebben. Hij roert stevig in de pan met spaghettisaus.

'Nee, dank je,' zeg ik snel.

'Of je neemt Benjamin mee.' Bo knipoogt.

'Ik kan niet,' roept Benjamin, boven het geluid van de afzuigkap uit. 'Ik moet werken.'

'Het is na het eten pas,' probeer ik hem over te halen. 'Bovendien vier ik morgen mijn verjaardag, dat was je toch niet vergeten?'

'Ik kom naar je verjaardag, maar 's avonds moet ik echt werken en daarna naar bed.'

Bo haalt haar schouders op. 'Dan niet. Misschien kun je Ellie meevragen?'

'Ze heet Elsa.'

'Óók goed.' Bo rolt met haar ogen. 'Nou, doe je het?'

Ik ben te verbaasd om iets te zeggen. Bo die uit zichzelf voorstelt om Elsa mee te nemen, gekker moet het niet worden.

Toen Wendy nog hier was mocht ze nooit ergens mee naartoe. Bo wilde altijd dingen met z'n tweeën doen. Ze heeft Wendy zelfs een keer een valse tijd doorgegeven, zodat ze de film miste. En nu is Elsa ineens welkom.

'Ik zal haar vragen,' zeg ik, om Bo een plezier te doen. Misschien komt het ooit nog goed met die jaloezie van haar.

'Als de dames klaar zijn met babbelen, heb ik hier twee borden voor tafel één.'

'Is dat voor Teddy?' vraagt Bo. Benjamin knikt. Ze grist de borden uit mijn handen en loopt naar de deur. 'Ik doe het wel.'

Als mijn vriendin weg is ga ik naast Benjamin staan. Op zijn voorhoofd glinsteren zweetdruppeltjes door de hitte van het fornuis. 'Vreemde vriendin heb ik, vind je niet?'

Benjamin knikt. Hij zegt geen woord.

'Heb ik iets verkeerd gedaan?' vraag ik. 'Je bent zo kortaf.'

Benjamin kijkt even op van zijn pannen. 'Ik heb vier gasten die moeten eten, Rosa moet naar bed en Jacky kan het niet alleen. In plaats van dat je nou even helpt!'

Ik schrik van zijn gesnauw. Ik gris de schalen met sla van de tafel en been de keuken uit. Bo zit bij Teddy aan tafel en ik voel ineens een leegte in mijn buik. Benjamin heeft nog nooit zo tegen me gesnauwd. Hij is altijd de rust zelf. Hij wist toch van tevoren dat het druk zou worden? Bovendien doe ik écht mijn best.

Op een bankje in de hoek zie ik Rosa zitten. Ze lijkt half te slapen en heeft een pop in haar armen geklemd. Ik zet de schalen op tafel en til het meisje op. Ze brabbelt iets onverstaanbaars en gaapt luid. Met veel gesjouw en gezweet weet ik haar de trappen op te krijgen. Als ik de deken over haar heen wil slaan wordt ze ineens wakker.

'Mama?'

'Nee, ik ben het: Sam.'

'En waar is Benjamin?' Ze gaapt.

Ik probeer mijn teleurstelling te verbergen.

'Benjamin moet koken vanavond. Hij komt morgen weer.'

'Jij bent morgen jarig,' zegt Rosa.

Ik ben verbaasd dat ze dat weet. Heeft Benjamin soms verteld over het feestje?

Hoe mama op mijn gasten gaat reageren maakt me niet zoveel uit. Zij heeft die collega uitgenodigd, dan nodig ik ook mijn mensen uit. Het was mama's idee om Elsa ook te vragen.

Ik twijfelde nog even, omdat mama het zo graag wilde. Zo haalt ze natuurlijk een wit voetje bij die collega. Daar laat ik me niet voor gebruiken.

'Ja, morgen krijg je een groot stuk taart,' zeg ik. 'Goed?'

Rosa glundert. Ik zie dat ze nog honderd dingen wil zeggen, maar haar slaap laat het niet toe. Ze laat zich onderuit zakken en rolt haar knieën tot onder haar kin. Haar duim verdwijnt in haar mond en nog geen twee tellen later slaapt ze.

Ik kijk naar het vredige gezichtje. Ze lijkt op haar broer. Die heeft ook zoiets rustigs over zich. Waar zou hun vader zijn? Ik durf het hem niet te vragen. Ik sta op en kijk nog één keer naar Rosa, die diep in dromenland lijkt te zijn.

Ik word vroeg in de ochtend wakker gezongen door Julia, die in mijn deuropening staat. Mama draagt de taart en papa de cadeautjes en croissantjes. Een ritueel dat nooit verandert. De jarige krijgt ontbijt en cadeautjes op bed.

Ik ga blij overeind zitten. De enige dag van het jaar waarop ik volledig in de *spotlights* sta.

Julia blijft vals doorzingen totdat ik lachend mijn hand opsteek. 'Hou maar op,' grijns ik. 'Ik had oordopjes moeten vragen.'

Papa en mama geven me een zoen en papa kan het weer niet laten: 'Wat word je toch een grote meid,' zegt hij. Ik neem het maar voor lief en laat me even knuffelen.

De eerste paar cadeautjes komen rechtstreeks van mijn verlanglijstje. Een nieuwe koptelefoon, een abonnement op dat ene rockblad en de nieuwe cd van mijn lievelingsband.

Dan is het tijd voor het cadeautje van Julia. Het is vierkant en plat. Als ik het papier ervanaf scheur valt er een fotolijstje op mijn schoot. Een houten, vierkant lijstje, met hartjes erop. Julia weet toch dat ik walg van roze hartjes?

'Bedankt,' zeg ik met een zuur gezicht. Julia buigt zich voorover om me een zoen te geven.

'Het is voor een foto van Willem,' fluistert ze.

Met een knalrode kop knik ik. Mama en papa lijken niks in de gaten hebben. Julia kijkt me glunderend aan. Ik krijg spijt van mijn leugen.

'Nou, het is tijd voor croissantjes,' zegt papa en hij haalt het dienblad tevoorschijn.

Ik luister kauwend naar mijn nieuwe cd en zie mama afkeurend kijken. Hardrock is niet haar idee van verjaardagsmuziek.

Als ik aan mijn derde broodje wil beginnen gaat de deurbel. Julia rent naar de deur. Denkt ze soms dat Willem me komt feliciteren?

Even later komt Bo de kamer in. Ze heeft drie gasballonnen bij zich, die nauwelijks door mijn deur kunnen. Ze geeft een ruk aan het touw, waardoor er meteen één losschiet.

'Gefeliciteerd, Sammie!' Ze valt me om de hals en ik voel hoe de hagelslag van mijn croissantje op mijn blote knieën valt. 'Deze zijn voor jou. Jeetje, wat een eind fietsen met die dingen. Iedereen keek me na!'

Ik zie aan Bo's gezicht dat ze dat niet erg vond. Ze houdt wel van aandacht, zeker als ze weet dat het hele dorp het er nog dagen over heeft. Ik pak de ballonnen aan en zie een hoofd van Ernie en eentje met het getal zestien.

'*Sweet sixteen!*' roept Bo.

Ze keert zich naar mijn ouders. 'Jullie zijn zeker wel trots.' Ze knikken zuur. Papa vindt haar *veel te luidruchtig*.

Ik laat de cadeautjes aan mijn vriendin zien en Bo slaakt een enthousiaste kreet als ze de cd ziet. We zijn een keer samen naar een concert geweest. Als Bo de cd nog harder zet besluiten mijn ouders ons maar even alleen te laten.

'Mag ik er eentje?' Bo wijst op de croissantjes. Ik knik. Als ze luid smakkend op mijn bed komt zitten begint ze meteen weer over Teddy.

'Hij trakteert vanavond. Toen ik vertelde dat je jarig bent stelde hij het meteen voor. Lief hè?'

Ik knik. Dat is inderdaad best attent. 'Maar je bent toch niet vergeten dat hij me zo voor gek zette?'

Bo slaat lachend op mijn knie. 'Dat was een geintje. Hij voelt zich er ook lullig over. Maar geef toe, het was best grappig.'

Hij noemde me een jongen, wat hilarisch. Ik laat het

maar. Als ik nu tegen haar inga weet ik dat het ruzie wordt. Wendy zou ik het wel kunnen zeggen, die zou sowieso nooit voor zo'n jongen kiezen.

'We gaan na je feestje naar de Palmboom,' zegt Bo. 'Het is een paar kilometer fietsen. Teddy en ik gaan rond een uurtje of tien, kom jij dan ook met Ellie?'

'Elsa.'

'Prima, dan zien we je daar.' Bo propt nog een croissantje naar binnen en staat op. 'Zullen we de tuin maar eens gaan klaarmaken voor die superparty van je?'

De partytent staat scheef, de vlaggetjes zitten hier en daar in de knoop, maar toch ben ik tevreden met het resultaat. We zijn de hele dag bezig geweest en de gasten kunnen elk moment komen.

Bo staat naast me uit te hijgen. Julia zit een eindje verderop toe te kijken.

'Die luie donder,' scheldt Bo.

Mama komt naar buiten met drie glazen limonade, die we gulzig leegdrinken. Alle hapjes staan uitgestald over de lange tafels. De zon schijnt recht op onze tuin en de hitte is bijna onverdraaglijk. Dat wordt nog leuk in de disco vanavond. Ik zie Elsa en haar moeder aankomen op de fiets. Elsa draagt zoals gewoonlijk een lange spijkerbroek en ik zie Bo ook verbaasd kijken. 'Stikt dat kind niet?'

'Ze draagt altijd lange broeken,' zeg ik snel. 'En zou je daar je mond over willen houden, alsjeblieft? Volgens mij wil ze het er niet over hebben.'

Bo lacht. 'Je wordt al net als je moeder. Wat mag ik nog meer niet zeggen?'

Elsa komt me glimlachend tegemoet. Haar moeder staat bij de mijne. Elsa geeft me drie zoenen, die plakkend op mijn wangen achterblijven. Ze geeft me een klein roze pakje en achter haar rug zie ik Bo met haar ogen rollen. In het pakje zit een kettinkje. Het is niet roze en eigenlijk precies mijn smaak.

Elsa haalt het hare onder haar shirtje uit. 'Kijk, hij komt uit hetzelfde winkeltje. Deze is al heel oud, ik heb hem al vanaf mijn tweede.'

'Dat hij nog niet uit de mode is,' grapt Bo, maar haar stem heeft een nare klank. Ik wou dat ze ophield met de trut uit te hangen.

'Dankjewel,' zeg ik eerlijk tegen Elsa en geef haar een zoen. Ik negeer de blikken van Bo.

'Wat ziet het er heerlijk uit allemaal,' zegt Elsa, terwijl ze naar de tafel met eten loopt. Ze pakt een bordje en pakt een aantal hapjes, die ze netjes naast elkaar legt.

'Past het?' vraagt ze.

'Wat?'

'Het kettinkje.'

'O.' Ik pak het kettinkje en maak hem achter in mijn nek vast. Ik frunnik aan het blauwe steentje, dat koel aanvoelt op mijn warme huid.

Elsa knikt goedkeurend.

'Prima,' lacht ze. 'Precies de kleur van je ogen.'

Bo komt bij ons staan en geeft Elsa een glas limonade aan. 'Je zal wel dorst hebben.'

'Hoezo?' vraagt Elsa, ook al zie ik het zweet op haar voorhoofd staan.

'Met zulke kleren moet je goed drinken,' zegt Bo. 'Anders val je straks nog flauw.'

Ik kijk mijn vriendin verwijtend aan. Waarom zegt ze zoiets? Ik zie hoe Elsa ongemakkelijk naar haar pasteitjes kijkt.

'Wat nou?' roept Bo, als ze mijn boze blik ziet. 'De mussen vallen dood van het dak!'

Ik trek mijn vriendin weg van de eettafel, helemaal tot achter in de tuin. 'Je houdt nu op met je zo belachelijk te gedragen. Ze is míjn gast en je doet normaal.'

Bo lacht schamper. 'Kom op zeg, je vond haar zelf ook een vreselijke tut.'

'Ja, dat was voordat ik wist hoe ze echt is. Ik vind haar aardig, mag ik?'

Even denk ik dat Bo haar hoofd zal schudden, maar dan knikt ze langzaam. 'Sorry,' mompelt ze. 'Ik zal vanavond extra veel met haar dansen.'

Ik kijk Bo aan. Haar mondhoeken krullen omhoog en dan begint ze te lachen. 'Jeetje, Sam! Het was een geintje.'

'Je hebt een vreemd gevoel voor humor,' verdedig ik mezelf.

'Je bent een jaartje ouder hè, dan snap je minder van...' Bo houdt midden in haar zin op en kijkt langs me heen. Ik draai me met een ruk om en voel hoe ik een spiertje in mijn hals verrek. Ik gil, maar niet van de pijn. Benjamin is er.

'Ga naar hem toe.' Bo geeft me een duwtje. 'En vraag hem alsjeblieft ten huwelijk.'

Flauw. Ik trek mijn shirtje recht en kijk even naar beneden. Korte broek, blote, witte benen en teenslippers. Het kán erger. Hoe moet je ook alweer gewoon lopen?

Benjamin staat voor onze rozenstruik, met zijn gezicht in de volle zon. Als hij mij ziet verschijnt er een voorzichtig lachje om zijn mond, waar ik meteen al van smelt. Nog even en hij gaat me zoenen, denk ik. Drie, op mijn wangen. Kon ik ze maar ruilen voor ééntje op mijn mond.

'Gefeliciteerd,' fluistert Benjamin, als hij zich voorover buigt. Zijn nek ruikt zoet. De drie zoenen komen vol op mijn wangen. Ze plakken een beetje, maar ik ben er blij mee. Zo voel ik ze vanavond nog.

'Rosa heeft een tekening voor je gemaakt. Jacky vond het te laat worden voor haar, ze ligt al in bed.'

Ik vouw de tekening open en zie twee poppetjes. Eén bruine en één witte. Het meisje heeft korte haren en houdt de hand van de jongen vast.

Ik kan het niet laten om te blozen.

'Waar is Jacky?' vraag ik gauw. Dan zie ik haar bij mama staan. Even voel ik lichte paniek, maar ik ben jarig. Ik neem aan dat mama zich deze éne dag inhoudt.

'Zeg.' Benjamin pakt mijn arm. 'Het spijt me dat ik zo kortaf deed.' Ik hoor aan zijn stem dat hij het meent, maar hij lijkt moeite met elk woord te hebben.

'Het is al goed,' lach ik. Ik waag het erop en sla twee armen om zijn hals. Benjamins lichaam schokt even en ik voel hoe hij aan mijn haren ruikt. Dan duwt hij mij zachtjes van zich af en kijkt verlegen om zich heen. Is hij bang voor mijn moeder? Of voor de andere gasten, die nu in grote groepjes binnenstromen. Veel tijd om erover na te denken heb ik niet, want Bo komt bij ons staan.

'Dag Benjamin,' zegt ze. 'Gefeliciteerd met Sam.'

'Jij ook,' zegt Benjamin. 'Je kent haar al lang, hè?'

Bo's gezicht klaart op en enthousiast begint ze te vertellen over de eerste dag dat wij elkaar ontmoetten. Dat is geen gênant verhaal, dus ik laat haar haar gang gaan.

'Je weet zeker dat je niet meegaat vanavond?' vraagt Bo aan Benjamin.

Ik weet dat ze dat vraagt voor mij. Lief is ze soms.

Benjamin schudt opnieuw zijn hoofd. 'We krijgen vanavond twee nieuwe gasten. Jacky heeft me nodig.'

Bo knikt begrijpend, maar ik snap het niet. Eén avondje kan hij toch wel vrij nemen? Ik ben niet elke dag jarig!

Bo slaat een arm om me heen en als ik naar haar kijk glimlacht ze even. Ik zie in haar ogen dat ze het rot vindt voor me dat hij niet mee kan.

'Tijd voor het verjaardagslied!'

Alle hoofden kijken naar de tafel, waar papa op is geklommen. Met een glas champagne in zijn hand en een knalrode kop zet hij *Lang zal ze leven* in.

Ik heb er een hekel aan als mensen voor me zingen. Al die ogen op je gericht, ik hou er niet van. Mijn ooms en tantes zingen luidkeels mee.

Benjamin zingt zachtjes mee. Zijn donkere armen komen stoer onder zijn mouwloze shirt vandaan. Van de zijkant vind ik hem nóg mooier. Ik hou van de vorm van zijn neus, die prachtig overgaat in zijn voorhoofd. De frons tussen zijn ogen als hij zich concentreert en de zwarte warrige haren, die licht kroezen. Als het lied is afgelopen klapt hij voor mijn vader.

Ik weet hoe dom hij het vindt, maar hij is beleefd tegenover alle volwassenen. Als mijn vader nog een grapje over mij maakt, lacht hij. Zijn witte tanden schieten tevoorschijn van achter zijn donkere lippen. Wat is hij mooi, ik krijg het er gewoon warm van.

'Gaan we nog vanavond?' Elsa staat achter me.

'Naar de disco? Ja, natuurlijk.'

'Super dat je meegaat,' zegt Bo.

Ik zie Elsa even achterdochtig naar Bo kijken, maar ze zegt niks. Zou ze slechte ervaringen hebben met mensen?

'Hé Benjamin,' zegt Bo opeens en trekt hem erbij. 'Sam, stel je nieuwe vrienden eens aan elkaar voor?'

Ik kijk naar Benjamin, die verlegen zijn hand uitsteekt.

'Benjamin, dit is Elsa. Elsa, dit is Benjamin.'

Tien

In een hoog tempo fietsen we langs de weilanden. Elsa lijkt geen moeite te hebben met mijn snelheid. Haar dynamo schuurt piepend over haar voorband en verlicht de weg voor ons.

Bo en Teddy belden net dat ze er al zijn. Zo te horen was het een drukte van jewelste.

Het is lang geleden dat ik uit ben geweest en ik heb er zin in. Ik laat mijn avond niet verpesten door Teddy. Als Bo die jongen leuk vindt moet ik het maar gewoon accepteren. Ook al is hij een eersteklas engerd. Anders krijgen we toch alleen maar ruzie.

De hitte hangt nog altijd in de lucht. Mijn T-shirt plakt aan mijn bezwete rug. Het harde fietsen maakt het er niet beter op. Elsa moet het helemaal warm hebben met haar spijkerbroek aan. Maar ik hou nou eenmaal van hard fietsen. Die wind geeft me een machtig gevoel.

'Is het nog ver?' Elsa kijkt me van opzij aan.

'Nog een kilometer of drie. Ja, het heeft ook nadelen om in zo'n gehucht te wonen,' lach ik.

'Ik kan wel meer nadelen opnoemen, hoor,' grijnst Elsa.

Ik kijk naar haar broek en kan het toch niet laten. 'Je had wel een rokje mogen lenen.'

Elsa kleurt rood. Zelfs in het donker kan ik het zien. 'Wat is er mis met mijn spijkerbroek? Bovendien, zelf heb je ook geen rokje aan.'

Dat klopt. Mijn broek komt tot iets over mijn knieën. Ik draag nooit rokjes. Waarom eigenlijk niet? Ik ben er veel te onzeker voor. Een bikini vind ik bijvoorbeeld ook niks. Een rokje staat pas als je goed in je vel zit. Zoals Bo. Die kan desnoods naakt naar zo'n disco.

'Ik haat rokjes,' geef ik toe.

Elsa grinnikt. 'Waarom moet ík er dan zo nodig een aan?'

Ik snap mezelf ook niet. Waarom mag ze niet gewoon lekker in haar lange broek naar een feest? Maar dat is het niet, denk ik bij mezelf. Er is iets aan de hand, en ik weet niet wat.

'Ik vond je feestje leuk,' zegt Elsa, terwijl ze haar voeten optrekt. We rijden een heuvel af en de bomen schieten voorbij. Ik volg Elsa's voorbeeld en laat me naar beneden roetsjen.

'Ik vond het ook leuk.'

'Je buurjongen is best aardig,' zegt Elsa. 'Die Benjamin.'

Aardig, denk ik bij mezelf. Érg aardig. Als ik aan hem denk wil ik meteen weer op de trappers staan. Fietsen, tot mijn benen pijn doen. De hele wereld wil ik over. Elsa zet de achtervolging opnieuw in.

Er staan een hoop fietsen buiten. De neonverlichting boven de ingang flikkert. Ik zoek een plekje voor Elsa en mij en we maken de frames aan elkaar vast. Elsa checkt nog even snel haar haren in haar glimmende fietsbel, en dan kunnen we naar binnen. Ik voel hoe een groepje jongens Elsa nakijkt. Haar lange, blonde haren wiegen heen en weer.

'Jullie zijn geen achttien,' zegt de uitsmijter, als we langs hem willen glippen. De bassen dreunen al in onze oren.

'We líjken jong,' probeer ik. Maar de man duwt ons

terug naar buiten en ik kijk Elsa aan. Wat nu? Bo heeft helemaal niet gezegd dat we achttien moesten zijn. Hoe is zij trouwens naar binnen gekomen? In gedachten zie ik Bo haar borsten onder de uitsmijter zijn neus duwen.

Balend staan Elsa en ik tegen de hekken aan. Het groepje jongens mag wel naar binnen. Ze fluiten nog even voordat ze de Palmboom instappen.

'Engerds,' zegt Elsa.

'Ik ben verdomme jarig!' roep ik, nog steeds verontwaardigd.

'Ja, maar je bent geen achttien geworden,' zegt Elsa wijs.

Ik knijp mijn ogen tot spleetjes en gluur naar de uitsmijter. Is er een manier om naar binnen te glippen? Misschien moet één van ons hem afleiden? Maar hoe kom ik dan zelf binnen?

'Sam, Ellie!' Ik kijk op en zie Bo bij de ingang staan.

Ik loop meteen naar haar toe. 'We mogen er niet in,' brul ik boven de mensen uit. 'Die aap weigert ons binnen te laten.'

'Laat mij maar even,' roept Bo terug. Haar hoofd verdwijnt en even later maken de mensen een pad vrij voor mij en Elsa.

Ik kijk verbaasd naar Elsa. Hoe kan Bo dit allemaal regelen?

Bo begroet me enthousiast met een dikke zoen. Zelfs Elsa krijgt er een.

'Ellie, welkom in de beste disco van het land.'

'Elsa,' hoor ik haar zeggen. Bo negeert het.

'Daar is de garderobe en daar is de bar.' Bo stopt me wat klamme muntjes toe. 'Hiermee krijg je drinken. Een biertje is één muntje.'

Het lijkt net alsof Bo mijn grote zus is, die al jaren

ervaring heeft. Ik voel me heel klein met mijn zestien jaar. Elsa volgt me onwennig naar de bar. We nemen allebei een biertje en hebben nog drie muntjes over.

'Daar is die jongen van het strand.' Elsa wijst op Teddy, die een eindje verderop staat te dansen.

'Maak je maar geen zorgen,' zeg ik. 'Hij is nu met Bo.'

Bo trekt me de dansvloer op. Elsa wil nog niet dansen en blijft bij de bar hangen. Ik zet mijn biertje snel op een tafeltje en voel hoe de muziek bezit van me neemt.

'Je bent zestien!' tettert Bo in mijn oor. 'Wie had dat ooit gedacht?'

Het is niks voor Bo om zo sentimenteel te doen. Kennelijk doet het bier zijn werk.

'Ik ben blij dat je er bent,' fluistert Bo, als ze me voor de zoveelste keer omhelst. 'We blijven vrienden, hè? Wat er ook gebeurt.'

Eventjes schiet het beeld van Wendy voorbij, naakt in het meer. Ik slik mijn herinnering weg.

'Natuurlijk,' zeg ik schor.

Na vijf nummers maakt de harde muziek plaats voor iets rustigs; ik ga op een trappetje zitten. Bo ploft naast me neer en we kijken naar de stelletjes. De een zoent nog wilder dan de ander.

'Ik ga zo maar eens op zoek naar Teddy,' zegt Bo dromerig.

'Ik dacht dat je helemaal geen zin had in vakantievriendjes,' herinner ik haar. Bo wrijft lachend over haar horloge.

'Ik kan het niet laten,' bekent ze. 'Hij is echt knap.'

Dat kan ik niet ontkennen. Hij ziet er duister uit, maar ook mooi. Bo staat op als het schuifelnummer is afgelopen. Ik volg haar voorbeeld.

'*Guess who's this?*' Bo krijgt twee handen voor haar

ogen geslagen en ik zie teleurgesteld hoe Teddy ons nu al heeft gevonden. Bo begint hem meteen uitgebreid te zoenen. Na een minuut kijkt Teddy op. 'Birthday girl,' roept hij enthousiast. Het valt me op dat hij me geen boy meer noemt. Misschien omdat Bo erbij is. Ik ga bier voor ons halen. Met de drie muntjes loop ik naar de bar. Ik knijp ze fijn in mijn handen.

'Wat zal het zijn?' vraagt de barman jolig. Even later zet hij de drie biertjes met een klap op de bar. 'Drie muntjes. Bedankt, gozer.'

Gozer? Met een knalrode kop neem ik de drie biertjes mee naar de dansvloer. Teddy is alweer weg en ik geef Bo haar glas. 'Teddy moest even pissen,' zegt Bo. 'Trouwens, waar is Elsa gebleven?'

Ik laat bijna het bier uit mijn handen vallen. Mijn glas duw ik in Bo's handen en ik wurm me door de massa heen. Bij de bar was ze er nog. Bij het eerste biertje ook, maar toen besloot Bo te gaan dansen. Hoe lang heb ik haar alleen gelaten? Misschien wel een halfuur!

Koortsachtig begin ik te zoeken. Bij de wc's is ze niet. Ik schaam me dood dat ik haar vergeten ben. Ze kent hier niemand. Ik weet hoe erg het is om verlaten rond te lopen. Bovendien had ik haar uitgenodigd.

Veel tijd om mezelf op mijn kop te geven heb ik niet. Eerst Elsa zien te vinden. Ik klim de trap op naar het eerste balkon. Ik tref een plakkend stelletje, dat elkaar half uitkleedt. De jongen heeft zijn hand in de broek van het meisje gestopt. Zonder schaamte duw ik hen opzij. De jongen kijkt woedend op en geeft me een duw terug.

'Aan de kant, eikel.'

Eikel. Gozer. Ik moet echt mijn haren laten groeien. 'Hebben jullie een meisje gezien met lange blonde haren?' vraag ik.

De jongen steekt zijn middelvinger omhoog en richt zich dan weer tot zijn vriendin. Ik durf het niet nog een keer te vragen.

Ik hang half over de reling, maar zie geen spoor van Elsa. Waar kan ze zijn? Met een groot schuldgevoel snel ik de trap af. Misschien weet de barman meer.

'Nee, het spijt me,' zegt hij. 'Misschien buiten?' Nog voordat ik iets kan vragen begint hij weer bier te tappen voor een groepje ongeduldige jongens.

Ik baan me opnieuw een weg door de menigte. Wat een drukte hier. Buiten slaat de wind meteen in mijn gezicht. Ik neem een grote hap lucht. De uitsmijter lijkt half in slaap te zijn gevallen en ik loop naar de fietsen. Die staan nog aan elkaar, dus ze kan niet weg zijn.

Plotseling hoor ik opgewonden stemmen. Ik loop een rondje om het gebouw en aan de zijkant vind ik een groepje mensen. 'Gatver,' hoor ik één van hen zeggen. Ik duw een jongen opzij en schrik me rot. Elsa zit op de grond, in een plasje overgeefsel. Haar lange haren hangen in slierten langs haar wangen.

'Opzij,' roep ik meteen. 'Laat me erdoor.'

Een meisje kijkt me aan. 'Wie ben jij? Haar vriendje?'

Ik neem niet eens de moeite om rood te worden. 'Ja, toevallig wel. Laat haar met rust. Er valt hier niks te zien.' Ik wuif met mijn handen de nieuwsgierige mensen weg.

Als we alleen zijn hurk ik naast Elsa neer. Ik wil een hand op haar hoofd leggen, maar twijfel. Misschien wil ze helemaal niet dat ik haar aanraak. Ze zal wel woedend zijn dat ik haar alleen heb gelaten.

'Het spijt me,' probeer ik. 'Ik had je nooit alleen mogen laten. Ben je misselijk van de drank?' Hoeveel biertjes kan ze hebben gedronken in een halfuur? Elsa schudt zachtjes haar hoofd.

'Waarom heb je dan gespuugd?' vraag ik. 'Heeft er iemand iets in je drankje gedaan?' De gedachte maakt me al razend. Elsa schudt opnieuw haar hoofd.

'Wat is er dan?'

Elsa maakt haar blik los van de grond en kijkt me aan. Ik schrik. Elsa's ogen blinken van de tranen en ze ziet helemaal wit. Hoog op haar voorhoofd zit een wond, waar een straaltje bloed uit loopt.

'Wat is er gebeurd?' roep ik. 'We moeten de politie bellen!'

Elsa pakt mijn arm als ik op wil staan. Het valt me op dat ze nog maar één schoen aanheeft. Ik zak weer naast haar neer en negeer de zurige kotslucht.

'Zeg me alsjeblieft...' zeg ik. 'Wie dit heeft gedaan.'

Elsa kijkt me wanhopig aan. 'Hij zei dat hij het goed wilde maken,' stamelt ze. 'Hij zei dat het hem speet. Hij had een drankje voor me gekocht.'

'Wie?'

'Hij nam me mee naar buiten, naar hier... En toen... Ik wist niet dat hij dit wilde... Ik wist het echt niet. Ik geloofde hem.'

Ik voel hoe mijn bloed sneller begint te stromen. 'Over wie heb je het?'

'Hij duwde me tegen de muur... Ik voelde hoe hij me begon te zoenen. Ik wilde niet... Ik duwde hem... Hij werd kwaad...'

'Wie, Elsa. Wie?!'

'Hij duwde me op de grond. Hij was zo zwaar, Sam... Ik kon niks meer doen, ik lag daar maar. Hij knoopte mijn broek los... En toen schrok hij natuurlijk. Hij sloeg me. Hier.' Elsa voelt aan de wond op haar hoofd. 'Toen hij weg was moest ik spugen. Ik ben zo misselijk...'

Ik kijk naar Elsa, die het nu uitsnikt. Ik boor mijn

nagels in mijn handen. 'Wie dan?' vraag ik.

Elsa haalt diep adem. 'Ik kende hem, Sam. Het was die jongen, die vriend van Bo.'

Met een ruk sta ik op. Teddy! Hoe durft hij? Ik vermoord hem!

'Sam, blijf hier, alsjeblieft.' Elsa pakt me opnieuw beet. 'Ik wil niet meer alleen zijn.'

Ze heeft gelijk. Ik help Elsa overeind en ondersteun haar terwijl we naar de fiets lopen. Ze moet hier zo snel mogelijk weg. Haar kleren zitten onder de kots.

'Ik breng je thuis,' zeg ik. 'Morgen halen we je fiets wel op.'

Elsa wiebelt op mijn bagagedrager. 'Hou je maar aan mij vast,' zeg ik. 'Het komt goed.'

Ik sla de deken over Elsa heen. Ze ligt in haar bed en haar ogen staan nog altijd leeg. Haar moeder is nog niet thuis. Ik heb haar een schone pyjama gegeven.

'Dankjewel,' fluistert Elsa zachtjes, als ik de deken instop.

'Natuurlijk,' zeg ik. 'Het spijt me.'

'Hoezo? Je hebt toch niks gedaan?'

'Ik heb je alleen gelaten,' zeg ik. 'Dat had ik nooit mogen doen.'

'Die jongen...' stamelt Elsa.

Ik duw haar zachtjes terug in haar kussen. 'Hij wordt gestraft,' zeg ik. 'Geloof me.'

'Hij wilde niks meer,' zegt Elsa. 'Hij vond me lelijk.'

Ik frons mijn wenkbrauwen. Hoe bedoelt ze dat?

'Hij zag me en...' Elsa's tranen stromen weer over haar wangen.

'We praten morgen met de politie. Nu moet je slapen,' zeg ik zachtjes.

Elsa schudt haar hoofd. 'Je snapt het niet, Sam. Hij heeft me niet verkracht. Hij moest me niet. Hij vond me lelijk.'

'Je bent prachtig,' roep ik uit. 'Je lijkt wel een engeltje.' Voor het eerst durf ik het uit te spreken.

'Hij schrok van me. Hij vond me een monster.'

'Waar heb je het over?'

Elsa komt langzaam overeind en slaat haar deken weg. Ze heeft haar sokken aangehouden.

'Ik kan geen rokje aan,' zegt ze met een hese stem. 'Dat gaat niet.'

'Daar hebben het toch al over gehad?' zeg ik. Opeens ben ik bang voor wat ze gaat vertellen. Ik wist dat er iets was. Maar wil ik het wel weten?

Elsa pakt de pijp van haar pyjama en trekt hem in één beweging omhoog. Ik hou mijn adem in. Elsa's been is één groot litteken. De huid is gerimpeld en rood. Elsa kijkt me aan.

'Snap je het nou?' fluistert ze. 'Mijn brandwonden hebben me gered.'

Elf

Met grote ogen staar ik naar Elsa's been. Ik weet niet wat ik moet zeggen. Elsa trekt haar pijp langzaam weer naar beneden en slaat de deken om haar heen. Ze rilt, zie ik nu.

Ik slik een paar woorden weg. Wat kan ik zeggen? Het liefst zou ik naar huis rennen. Om een brief aan Wendy te schrijven. Maar Elsa moet niet denken dat ik bang voor haar ben. Of dat ik van haar walg, zoals Teddy. Die klootzak.

'Ik weet niet wat ik moet zeggen,' geef ik eerlijk toe. 'Hoe... Wanneer... Hoe lang al?'

Elsa peutert aan haar deken. Ze haalt diep adem voordat ze antwoord geeft. 'Sinds mijn tiende.'

Ik kijk naar het raam. De gordijnen zijn nog open en het is pikkedonker buiten. De boom voor haar kamer tikt met zijn takken tegen het glas. Ik weet weer niks te zeggen.

'Hij is de eerste die het zag,' gaat Elsa met trillende stem verder. 'Hij walgde, net als jij.'

Ik kijk haar aan. 'Dat moet je niet denken,' zeg ik snel. 'Ik schrok alleen van de littekens.'

Elsa probeert te glimlachen. 'Ik durf geen rokjes aan. Ik durf niet meer te zwemmen, ook al is het nog zo warm buiten. Dit hoort niet bij mij, het is zo lelijk.'

Ik pak haar hand, die nog boven de deken ligt. Met mijn duim aai ik over die van haar. Elsa kijkt ernaar. Het lijkt haar rustig te maken, want ze trilt niet meer. Ik kijk naar haar blauwe ogen, haar blonde haren. Ze is zo ontzettend knap.

'Ik snap het,' zeg ik zachtjes. 'Tenminste, dat denk ik.'

'Nee,' zegt Elsa. 'Je kan niet snappen hoe ik me voel als ik in de spiegel kijk, hoe ik me voel als andere meiden met blote benen door het dorp lopen. Hoe ik me voel als ik 's avonds mijn broek uittrek. Het is er altijd, en het gaat nooit meer weg.'

'Sorry,' zeg ik.

'Zelfs mijn moeder schaamt zich voor me,' zegt Elsa. 'Weet je hoe dat voelt? Ons vorige dorp keek ons na als we over straat liepen. Daar gaat dat meisje met die brandwonden, weet je hoe erg dat is? Daarom zijn we uiteindelijk verhuisd.'

Het lijkt wel alsof Elsa een blik met gevoelens heeft opengetrokken. Ze is helemaal rood van woede.

'Nee, ik weet niet hoe dat voelt,' stamel ik.

'Of als er meisjes achter me staan bij een kassa. Ik draag een lange broek, maar toch praten ze over me. Alsof ze door de stof heen kunnen kijken. Dat meisje met die lelijke benen en voeten.'

Ik sta op en pak mijn tas. Ik krijg het benauwd in deze kamer, ik moet naar buiten.

'Probeer wat te slapen,' zeg ik. 'Ik zie je morgen.'

Als ik bij de deur ben hoor ik Elsa zachtjes zeggen: 'Welterusten, Sam.'

Lieve Wendy,

Wat een vreselijke verjaardag. Wat goed begon eindigde in een nachtmerrie. Ik zit helemaal te shaken in bed. Het is al twee uur. Elsa is aangerand. Door Teddy. Ik kan het nauwelijks bevatten. Die gore klootzak. Hij is zogenaamd smoorverliefd op Bo.

Wat Elsa heeft gered zijn haar brandwonden. Ik kan tegen

jou wel eerlijk zijn: ik schrok me helemaal rot toen ik het
zag. Hoe kan het nou dat zo'n mooi meisje zulke benen
heeft? Ik had met veel rekening gehouden, maar niet met
dit. Volgens mij heeft Elsa vreselijk veel verdriet in zich
zitten, dat er nodig uit moet. Vanavond leek ze bijna open
te barsten.

Ik ben maar weggegaan. Laf, hè? Ik weet niet wat het was.
Ik vond het zo vreselijk moeilijk om haar zo te zien zitten.
Wat ben ik nou voor een vriendin? Misschien kan ik
morgen eens op internet kijken voor meer informatie over
brandwonden.

Waarom ben je er niet meer? Ik heb je nodig... Ik moet met
je praten. Elsa schaamt zich dood voor haar benen en ik
ben weggerend. Nu denkt ze vast dat ik haar in de steek
laat omdat ze brandwonden heeft. Maar ik laat haar niet
in de steek. Zo ben ik niet. Zo ben jij.

X Sam

Als ik de brief in de envelop wil stoppen, schiet me
ineens iets te binnen. Ik begin als een gek door mijn
spullen te graaien. Waar is mijn mobieltje? Ik keer mijn
tas om en zoek tussen de bonnetjes en sleutels. Met trillende vingers toets ik haar nummer in.
'Hallo met Bo...'
'Bo, met mij, ik...'
'Via de voicemail!'
Scheldend wacht ik op de pieptoon. Mijn stem klinkt
als van een ander. 'Bo, met mij, je moet goed naar me
luisteren: hij is gevaarlijk. Kom alsjeblieft zo snel mogelijk naar huis.'
Ik kijk naar het schermpje. Voor de zekerheid stuur ik

nog een berichtje. Wie weet luistert ze haar voicemail niet af. Moet ik niet terug naar de disco? Maar ik weet dat papa en mama het zullen horen als ik opnieuw de deur uit ga. Ze vonden twee uur al belachelijk laat. Ze laten me nu nooit meer gaan. Hopelijk doet Bo geen domme dingen.

Met een hoofd vol gedachten ga ik in bed liggen. Slapen lukt nu niet, dat weet ik zeker. De hele dag gaat aan me voorbij. De tuin, de lekkere hapjes, de leuke cadeautjes, de barman die *gozer* tegen me zei, het zoenende stelletje, de wanhopige Elsa, haar benen, die verschrikkelijke Teddy...

Ik leun over mijn bedrand heen en pak mijn mobieltje van de vloer. 'Neem op,' smeek ik zachtjes. 'Neem op.'

'Met Bo?'

Mijn hart maakt een sprongetje. 'Bo, met mij!'

'Had jij net een berichtje gestuurd?'

'Ja, je moet even goed luisteren.'

'Wacht even, hoor,' zegt Bo en ik hoor haar tegen iemand praten. Die Teddy natuurlijk.

'Wat is er? Waar ben je nu?'

'Ik ben thuis,' zeg ik snel. 'Luister even. Het ging niet goed met Elsa.'

'O, je hebt Ellie gevonden?'

'Ze had overgegeven.'

'Door de drank?'

'Nee,' roep ik. 'Luister nou even. Kan je niet naar buiten lopen?' Ik moet er niet aan denken dat Teddy mee staat te luisteren.

Bo zegt dat ik even moet wachten en de harde geluiden op de achtergrond verstommen.

'Je moet onmiddellijk naar huis,' zeg ik. 'Heb je me gehoord?'

'Sammie, je weet toch dat ik goed tegen drank kan? Ik ben niet zoals Ellie hoor, ik kan wel wat hebben.'

'Elsa is niet misselijk geworden door de drank, iemand heeft haar aangerand!'

Het blijft even stil aan de andere kant van de lijn. 'Aangerand?' klinkt de stem van Bo. 'Door wie?'

'Ga gewoon naar huis. Oké?'

Bo zucht. 'Ik heb het net zo gezellig!'

Ik laat de telefoon bijna uit mijn handen vallen. 'Bo, je moet me geloven.'

'Sam, ik laat mijn avond niet verpesten door die meid, hoor.'

Ik trap met een kwaad gebaar de deken van me af. 'Shit Bo, waarom luister je niet? Je moet daar weg, hij is gevaarlijk!'

'Over wie hebben we het nou?'

'Teddy! Hij heeft met zijn gore poten aan haar gezeten.'

'Onzin,' zegt Bo. 'Hij was de hele tijd bij mij.'

'Toen wij aan het dansen waren was hij er niet,' zeg ik. 'Hij legde ineens zijn handen op je ogen, weet je dat niet meer?'

'Dus je wilt beweren dat hij in de tussentijd Elsa heeft lastiggevallen? Een kennisje van mijn vriendin? Kom op, zeg.'

Waarom gelooft ze me niet?

'Bo, het is echt waar. Hij wist toch helemaal niet dat Elsa mijn vriendin is? Jij bent ook in gevaar, ga alsjeblieft naar huis.'

'Ik ga helemaal nergens heen. Die Ellie heeft een zielig verhaaltje bedacht en jij trapt erin. Jij deed vanaf het begin al stom tegen Teddy. Ik blijf lekker hier.'

Op de achtergrond hoor ik weer stemmen. Kennelijk

is Teddy ook naar buiten gekomen. Ik krijg de kriebels bij het idee dat hij nu zo dichtbij haar is, en ik zo ver weg.

'Bo, luister nou even!' roep ik, maar ze heeft me al weggedrukt.

Twaalf

Elsa zit met een glas drinken op de rand van mijn bed. Ze
heeft een linnen broek en een hemdje aan. Ze slurpt met
haar rietje het laatste restje uit het glas.

'Heb je nog kunnen slapen?' vraag ik voorzichtig.

Elsa knikt. 'Het spijt me dat ik zo tegen je uitviel giste-ren.'

'Dat geeft niks. Je was gewoon in de war, en terecht.
Die vuile schoft...'

'Laten we erover ophouden,' zegt Elsa. 'Het is toch
goed afgelopen?'

Hoe kan ze dat nou zeggen?

'Voor het zelfde geld had hij veel ergere dingen
gedaan!' roep ik uit. 'Hij had je kunnen...'

'Maar dat heeft hij niet. Vanwege mijn benen,' zegt
Elsa nuchter. Ik snap niet hoe ze er zo luchtig over kan
doen.

'We moeten naar de politie,' zeg ik. 'Ik ga wel met je
mee.'

Elsa schudt haar hoofd. 'We doen helemaal niks. Ik
heb geen zin om het verhaal nog een keer te moeten vertellen. Straks weet weer het hele dorp over mijn brandwonden. En dan mag ik zeker weer verhuizen.'

Ik wil tegen haar zeggen dat ze zich niks van die mensen aan moet trekken. Dat ze desnoods naakt naar het
politiebureau moet huppelen, maar ik hou mijn mond.
Elsa heeft gelijk, ik heb geen idee hoe het voelt.

'Maar hij moet toch gestraft worden?' zeg ik. 'Hij logeert hier aan de overkant!'

Elsa kijkt me benauwd aan. Voor het eerst sinds gisteren bespeur ik weer een blik van angst.

'Hij logeert in Villa Benjamin,' zeg ik.

'Werkt die jongen daar? Die van je verjaardag gisteren?'

Ik knik trots. 'Hij is de kok.'

Ik buig voorover en leg een hand op Elsa's knie. 'Luister, we gaan samen naar de villa en vertellen wat er aan de hand is. Dan zetten ze Teddy op straat. Voor je het weet is hij weer terug in Engeland, goed?'

Elsa knikt bedenkelijk. 'Waar is Bo?'

Ik denk weer aan het gesprek van gisteren. Bo weigerde te luisteren. Ik heb nog drie keer teruggebeld, maar ze had haar mobieltje uitgezet. 'Maak je over haar maar geen zorgen, ze redt zich wel.'

Hoop ik, denk ik bij mezelf.

Benjamin kijkt van mij naar Elsa en weer terug. Het voelt alsof ik hem weken niet gezien heb. Toen hij net de deur opendeed maakte mijn hart een sprongetje. Ik wilde hem om de nek vliegen en zoenen, maar hield me in. Nu zit hij tegenover ons aan de keukentafel.

Ik heb het verhaal over Teddy verteld, zonder veel details. En natuurlijk niks over de brandwonden. Dat kon ik Elsa niet aandoen. Benjamin heeft al een paar minuten niks gezegd en lijkt totaal verbluft. Hij staart naar Elsa alsof ze een museumstuk is.

'Maar...' zegt hij. 'Hij is onze gast!'

'Je moet hem eruit gooien,' zeg ik. 'Hij deugt voor geen meter.'

'Ja,' zegt Benjamin snel. 'Dat blijkt wel. Jeetje, wat een verhaal.' Hij buigt over tafel en legt zijn hand op die van Elsa. 'We moeten aangifte doen.'

Ik kijk voor het eerst opzij. Elsa's ogen staan nietszeggend, zoals al de hele ochtend. Het lijkt wel alsof ze haar ziel gisteren heeft uitgespuugd. Als Benjamin haar hand aanraakt gaat er een schokje door haar heen. Ze staart naar de hand en trekt die van haar uiteindelijk terug. 'Het gaat prima.'

Benjamin staat op en begint in een la te rommelen. Hij haalt er een papier uit. 'Hun reservering. Als ze vandaag terugkeren staat hun bagage op de stoep. Die schoft zet hier geen stap meer in de villa.'

Ik kijk trots naar Benjamin. Zijn sterke armen zijn gespannen. Zijn blik is donker en ik voel hoe razend hij is. Dit doet hij voor mij, omdat ik het vraag, denk ik bij mezelf. Het is niet het gepaste moment, maar even voel ik me dolgelukkig. Als Elsa weer naar buiten wil houdt Benjamin me tegen.

'Die jongen,' vraagt hij zachtjes. 'Heeft hij haar...?'

'Nee, hij heeft haar niet verkracht.'

Benjamin knikt. Hij lijkt met zijn gedachten heel ergens anders te zijn. 'Gaat het?' vraag ik.

'Ja. Ik denk aan Elsa, hoe zij zich nu moet voelen. We moeten naar de politie.'

Ik schud mijn hoofd. 'Dat wil ze echt niet.'

We kijken elkaar een tel lang aan. Even denk ik dat hij iets wil zeggen, maar dan schudt hij zijn hoofd. Hij begint aan de afwas van het ontbijt en ik besluit er niet langer over door te zeuren. Hij is gewoon in de war over Teddy. Als ik wegloop zegt hij: 'We moeten haar een beetje afleiden. Misschien kunnen we een eindje gaan varen.'

Buiten wacht Elsa op de veranda. Ze heeft haar knieën opgetrokken en gooit kiezelsteentjes over het pad. Ik ga naast haar zitten. Samen kijken we hoe het dorp langzaam ontwaakt.

'Kom,' zeg ik. 'We gaan naar het meer.'

Elsa kijkt me vragend aan.

'Niet om te zwemmen,' zeg ik snel. Meteen hoor ik hoe stom het klinkt. Alsof ik niet met haar wíl zwemmen. 'Sorry,' zeg ik erachteraan.

Elsa's wangen kleuren, maar dan moet ze lachen. 'Ga je nou bij elke zin nadenken?'

We duwen de takken opzij die ons scheiden van het kleine strandje. We laten onze fietsen in het mulle zand vallen en ploffen neer aan de waterkant. Ik heb mijn voeten aan de rand van het water, maar zo dat ze nét niet nat worden.

Elsa zit in de kleermakerszit. Ik speel met het hangertje dat ik van haar kreeg, gisteren pas. Het lijkt wel alsof er een jaar is verstreken. Bo is kwaad en ik ken Elsa's geheim. Als enige. In één dag is alles veranderd. Ik voel me belangrijk.

'Wil je het horen?' Elsa blijft strak naar het water kijken.

'Wat?'

'Hoe ik verbrand ben. Want daarom zitten we hier toch?'

Ik voel me betrapt. Ik had het niet echt bedacht, maar ze heeft gelijk. Ik hoopte inderdaad dat Elsa op deze plek wat spraakzamer zou worden. Omdat we hier al eerder zaten. Eeuwen geleden.

'Het gebeurde toen ik tien was,' begint Elsa voorzichtig. 'Ik was met een paar neefjes en nichtjes. We stookten een fikkie. We hadden allemaal hout verzameld en het werd een mooi, groot vuur.'

Ik besluit haar niet te onderbreken, maar knik alleen.

'Het was vreselijk koud en er lag sneeuw. Ik kan me

nog goed herinneren dat ik drie T-shirts aanhad, en een wollen maillot onder mijn trainingsbroek. Mijn oudste neef had de leiding over het vuur. Hij gaf aanwijzingen en pookte hier en daar met een stok in de vlammen.'

Elsa's stem stokt. Ik kijk even opzij. Ze slikt een paar keer en fronst haar wenkbrauwen. Als in trance vertelt ze verder.

'Ik wilde ook in het vuur porren, dat zag er zo spannend uit. Na lang zeuren kreeg ik de stok. Eerst ging het goed, ik kreeg de vlammen heel hoog. Maar toen... Ik weet niet hoe... Ineens kwam er een grote steekvlam.'

Ik boor mijn vingers in het zand. Naast me hoor ik Elsa zachtjes huilen.

'Mijn broek stond in brand en ik probeerde al gillend en slaand een einde te maken aan de vlammen. Toen voelde ik hoe mijn maillot steeds warmer werd. Toen het schroeiende gevoel op mijn schenen, dijen en enkels. Het kwam door de synthetische stof van mijn kleren. Mijn neefjes en nichtjes raakten in paniek. Eentje rende er zelfs vandoor, ze vond het té eng.'

Ze slikt.

'Mijn oudste neef heeft me uiteindelijk tegen de grond gegooid, in de sneeuw. Hij rolde me heen en weer. Ik kan het me nauwelijks herinneren. Ik weet alleen die gezichten nog, die geschrokken boven me hingen. Zelf voelde ik niks. Geen pijn, helemaal niks. Misschien maar beter, denk ik achteraf. Mijn andere neef heeft de ambulance gebeld en die kwam me met gillende sirenes halen. Papa en mama kwamen naar het ziekenhuis. Mama begon te huilen en ik weet nog dat ik tegen haar zei: "Zo erg is het niet, ik voel helemaal niks." Ik had toch nog geen één keer naar mijn benen gekeken. Diezelfde avond kreeg ik mijn eerste operatie.'

'Eerste? Hoeveel heb je er dan gehad?' vraag ik voorzichtig.

Elsa haalt haar schouders op. 'Een stuk of tien.'

En zelfs nu zien haar benen er nog zo uit.

'Die operaties zijn echt vervelend. Ik kon heel vaak niet naar school en naar feestjes van meisjes uit mijn klas.'

'Wat doen ze dan bij dat opereren?' vraag ik. Hopelijk klinkt mijn stem niet al te nieuwsgierig.

'Ze halen stukjes huid van je rug en leggen dat op je benen.'

Ik kijk haar geschrokken aan. Het klinkt als een goedkoop griezelverhaal, maar Elsa kijkt serieus.

'Hoe doen ze dat dan?'

'Met een soort kaasschaaf,' zegt Elsa en ik huiver opnieuw. 'Je kan alleen je eigen huid gebruiken. Je lichaam accepteert andere huid niet. Dus mijn rug zit nu op mijn benen en voeten.'

Ik kijk naar haar broek. Elsa pakt de pijp aan de onderkant beet en trekt hem omhoog. De aanblik van de littekens went nog steeds niet. Nu pas valt het visgraatmotief me op. 'Wat is dat?'

Elsa strijkt met haar wijsvinger over het vreemde litteken. 'Dit is de huid van mijn rug, die hebben ze geperforeerd, zodat je hem uit kunt rekken. Het is een soort gatenpanty geworden.'

Ik kijk haar bewonderend aan. Ik vind het knap dat ze er zo luchtig over kan praten. Ze is er ongetwijfeld mee gepest.

'Natuurlijk ben ik ook veel gepest,' zegt Elsa, alsof ze mijn gedachten kan lezen. 'In het begin droeg ik nog geen lange broeken. Eén keer zei een jongetje tegen zijn vader: "Kijk, die heeft te lang in het bad gezeten."' Elsa lacht. 'Die opmerking was eigenlijk nog best lief.'

Ik ruk mijn blik los van haar benen en kijk naar haar gezicht. Haar ogen staan verlegen. 'Wat is er?'

Ik glimlach. 'Niets, ik ben blij dat je het mij verteld hebt.'

Mijn bezwete rug plakt aan mijn hemdje. Ik fiets over het smeltende asfalt langs de grasvelden. Bo's huis is best dichtbij. Met een heel betoog in mijn hoofd kom ik bij haar aan. Ze móét begrijpen dat Teddy gevaarlijk is. Dat Elsa hier heus niet over liegt.

Bo's moeder doet open en kijkt me verrast aan. Zou ze weten van onze ruzie?

'Bo is boven,' zegt ze en ze gaat weer achter de computer zitten.

Als ik op haar deur klop klinkt er nors: 'Binnen.'

Voorzichtig steek ik mijn hoofd om de hoek. Bo zit op haar bed. Ze zapt verveeld langs televisiezenders. Ik ga naast haar op een bureaustoel zitten en rol wat heen en weer.

Bo kijkt niet op of om. Na vijf zenders met belspelletjes drukt ze de tv kwaad uit.

'Wat een onzin,' mompelt ze.

'Bo?' zeg ik. 'Waarom belde je niet meer terug?'

'Weet ik veel.'

'Ik weet dat je me niet gelooft, maar...'

'Hij heeft het uitgemaakt.'

Ik kijk haar verbaasd aan. Bo plukt aan haar lip. 'Hij moest terug naar Engeland. Voor záken.'

Aan haar stem hoor ik dat ze het vreselijk vindt. 'Is hij zomaar weggegaan?'

'Niet zomaar, hij is de villa uitgezet. Drie maal raden door wie. Door dat *geweldige* vriendje van je.'

Ik kan het niet laten vanbinnen te juichen. Benjamin heeft zijn woord gehouden!

'Het spijt me,' zeg ik zachtjes. 'Maar Teddy was echt niet goed voor je.'

'Dat zei je gisteren ook al, maar ik geloof die Ellie voor geen meter.'

'Elsa.'

'Ook goed.'

'Waarom zou ze zoiets verzinnen?'

Bo haalt haar schouders op. 'Ze is een manipulator. Naar de politie gaat ze niet, maar ze laat Teddy wel uit het hotel zetten. Wat een trut.'

'Wat ben je gemeen.'

'Nou, ze aanbidt je zowat. Is je dat niet opgevallen? En dan dat kettinkje voor je verjaardag.'

'Ze is gewoon aardig. Kop op zeg, Bo. Ik ben je eigendom niet.' Ik kijk mijn vriendin kwaad aan. 'Teddy deugde voor geen meter, en dat wéét je. Hoe denk je anders dat hij aan zoveel geld komt? Al die drankjes die hij betaalde, dat is toch niet normaal?'

Bo draait haar gezicht naar de muur. Ik zie dat ze zint op een kattig antwoord.

'Morgen ga ik met Benjamin en Elsa varen. Als je mee wilt ben je welkom. Ik denk dat Elsa het leuk vindt als je komt. En anders doe je het voor mij.'

Bo blijft naar de muur staren.

Dertien

Jacky geeft ons een grote picknickmand aan. Benjamin
zit aan het roer en Elsa helemaal voorin. Ze staart over
het water en is diep in gedachten. Ik werp een snelle blik
in de mand. Belegde broodjes, een fles drinken, croissantjes, fruit. Heerlijk.

Geen spoor van Bo, maar dat had ik ook niet verwacht.
Ze kan vreselijk koppig zijn. Thuis heb ik gezegd dat ik
een lange fietstocht wilde maken. 'Het is zulk lekker
weer,' had ik gelogen. 'Ik ben vanavond pas terug.'

Ik geef een zetje en de boot drijft van de kant. Met een
zacht geronk varen we weg. Benjamin zit vlak naast me.
Er ligt een vredige glimlach om zijn lippen en hij ruikt
naar zonnebrand. Ik pak mijn rugzak onder de bank vandaan en vis er een notitieblok uit. Mijn handen jeuken
om een brief aan Wendy te schrijven.

Lieve Wendy,

*Dit had je prachtig gevonden. Een eind varen op een boot,
samen met mij en de muggen. Ik heb al twee steken te
pakken. Maar het geeft niets, want ik ben samen met hém.
Elsa lijkt voor het eerst sinds de disco weer de oude te zijn.
Het varen doet haar goed. De wind blaast door haar blonde
haren en ze zit met haar ogen dicht voor in de boot.
Benjamin zit aan het roer, nog geen meter van mij
vandaan.*

Wist je dat het vandaag precies één jaar geleden is dat wij

*elkaar voor het laatst spraken? Soms zijn er dagen dat het
eeuwen geleden voelt. Vandaag is er zo een. Ik kan me
nauwelijks meer herinneren hoe je eruitziet. Ik probeer je
gezicht voor me te zien als ik niet kan slapen, maar ik kom
niet verder dan die blauwe ogen en dat blonde haar. Heb je
een spleetje tussen je voortanden? Sproetjes rond je neus?
Vreemde trekjes als je zenuwachtig was? Ik weet het niet
meer, Wendy. Je voelt verder weg dan ooit.*

*Misschien is er een reden voor. Jij geloofde toch in die
dingen? Zodra ik niet meer weet hoe je was, moet ik je
laten gaan. Moet ik de brieven verbranden en je naam
weggooien, samen met alle herinneringen. Ik kan het niet.
Nóg niet tenminste. Er komt een dag dat ik me losmaak
van jou. Maar die dag is niet vandaag.*

X Sam

'Wat is dat?' Elsa kijkt nieuwsgierig naar de brief in mijn
hand. Ik vouw hem snel dicht en stop hem in mijn rug-
zak.
  'Niks,' zeg ik. 'Een recept voor de villa.'
  'Wendy?' vraagt Elsa. 'Een recept dat *Lieve Wendy*
heet?'
  Ik voel me rood worden. 'Het is een heel speciale cake.'
  Elsa grijnst. 'Die wil ik dan wel eens proeven.'
  Ze komt bij me zitten en we hangen allebei aan een
kant over de reling. Onze handen glijden door het koude
water. Benjamin laat de boot harder gaan.
  'Heb je nog nagedacht over een aangifte?' vraag ik
voorzichtig.
  Elsa knikt. 'Ik doe het niet.'
  'Waarom niet?'

Elsa zucht diep. 'Hier hebben we het toch al over gehad? Ik wil het er niet meer over hebben, ik moet het vergeten.'

'Hoe kan je zoiets nou ooit vergeten?'

Elsa haalt haar schouders op. 'Dat is mijn probleem.'

'Waar gaan we eigenlijk heen?' vraag ik na een half uur varen.

Benjamin wijst. 'Daar is een plek waar je prachtig kunt zitten. Bomen hangen over het water en er komt nooit iemand.'

Benjamin krijgt gelijk. Binnen een paar minuten meren we aan bij een open plek. We kijken uit over het water en het lijkt uitgestorven. Benjamin geeft mij de mand aan en ik spreid het laken uit. Elsa slaat een zoveelste mug van haar arm.

Benjamin trekt zijn trui uit en legt hem in de boot. De tattoo is weer zichtbaar en ik bloos een beetje. We gaan rond de mand zitten en pakken al het eten uit. Ik zet mijn tanden in een luxe boterham met ham en kaas en Elsa werkt een croissantje naar binnen. Als onze ergste honger weg is beginnen we pas te praten.

'Wilde Bo niet mee?' vraagt Elsa.

Ik schud mijn hoofd. 'Ik heb haar wel gevraagd, hoor. Maar ze was kwaad vanwege Teddy. Hij heeft het uitgemaakt.'

'Waarom?' vraagt Elsa. 'Hij heeft toch niet...'

'Nee,' zeg ik haastig. 'Hij moest terug naar Engeland.'

'Gelukkig zijn we van hem af,' zegt Benjamin. 'Anders moest ik hem persoonlijk het land uit schoppen.'

Ik zie Elsa dankbaar naar hem kijken.

'Ja, gelukkig is hij weg,' zeg ik en trek een pol gras uit de grond. 'Bo draait ook heus wel bij.'

'Sorry, maar Bo is best jaloers.' Ik kijk Benjamin verbaasd aan. Dit is de eerste keer dat hij iets over mijn vriendin zegt.

'Hoe bedoel je?'

'Nou,' legt hij voorzichtig uit. 'Ze wil jou helemaal voor zichzelf, en nu Elsa er is...'

Ik kijk hem verbaasd aan. Dat meent hij toch niet? Natuurlijk ken ik de jaloezie van Bo, maar ze deed zo haar best in de disco. Ze had Elsa zelf meegevraagd. Toch?

'Je kent Bo helemaal niet,' verdedig ik mijn vriendin. Ik kan er niet tegen als anderen haar zo aanvallen. Zelfs Benjamin mag dat niet. Waarom doet hij zo? Hij verpest deze mooie dag.

'Ze heeft het heus niet makkelijk thuis, met een moeder die altijd werkt.'

'Je bent toch gek als je met een verkrachter om blijft gaan?'

'Teddy is het land uit!' Ik voel hoe raar het is om tegen Benjamin te schreeuwen. Maar hij maakt me echt kwaad nu.

'Hij was natuurlijk bang dat Elsa hem zou aangeven,' zegt Benjamin. 'Bovendien heeft hij het uitgemaakt. Bo maakte het niets uit dat Elsa....'

'Natuurlijk wel,' roep ik uit. 'Hoe kún je dat zeggen?'

'Hou alsjeblieft op.' We kijken allebei naar Elsa. 'Dit heeft toch helemaal geen zin. Bo bedoelt het heus niet kwaad.'

'Ze noemt je altijd Ellie,' gaat Benjamin door. 'Ze heeft echt geen interesse in mensen!'

Ik zie hoe hij naar me kijkt. Uitdagend.

'Hij weet het niet, hè?' Elsa kijkt achterom naar Benjamin, die met een nors gezicht aan het roer zit. Sinds de picknick negeert hij me volkomen.

Elsa en ik zitten voorop de boot. Ik heb mijn voeten in het koude water en Elsa heeft haar benen opgetrokken.

'Wat weet hij niet?' vraag ik.

'Over mijn benen?'

'Nee, heb ik zelfs Bo niet verteld. Ik ging ervan uit dat het geheim was.'

Ik vertel haar niet dat ik uitgebreid op internet ben wezen zoeken. In de hoop om er iets over te vinden. Hoe je ermee om kan gaan, bijvoorbeeld.

Elsa knikt. 'Dat is het ook. Ik wil niet dat iemand het weet.' Bij 'iemand' kijkt ze opvallend lang naar Benjamin.

'Schaam je je er zo voor? Ik weet zeker dat niemand het vreemd vindt, hoor.'

'Misschien niet, maar ik heb hier eindelijk vrienden. Jou, Benjamin misschien. Weet je dat dit de eerste keer is dat een jongen mij meeneemt ergens heen?'

Ik glimlach. 'Ik herken het.'

Elsa kijkt me verbaasd aan. 'Je hebt nog nooit een vriendje gehad?' vraagt ze ongelovig. Ik knik met een rood hoofd. Ik kan niet geloven dat ik dit toegeef. Tegenover Bo verzon ik een vriendje uit Frankrijk.

'Je bent knap,' zegt Elsa.

'Heel leuk.'

'Ik meen het. Je hebt iets, iets bijzonders.'

Ik kijk verlegen naar beneden. Ik kan er niet tegen als mensen dat soort dingen zeggen. Zelf ben ik helemaal niet blij met mijn uiterlijk.

'Ik heb lelijke oren,' zeg ik. 'Ze flappen.'

Elsa strijkt met haar hand mijn haren opzij. Ze bekijkt mijn oren zo aandachtig dat ik er zenuwachtig van word.

'Ik zie niks,' zegt ze. 'Het zit allemaal tussen je...'

'Flaporen,' lach ik.

Veertien

Het is druk in de villa. Er logeren drie stelletjes en die moeten allemaal eten. Benjamins humeur wordt er niet beter op. Na de boottocht werd hij gebeld door Jacky, of hij onmiddellijk kon komen. Ik besloot mee te gaan, zei tegen mama dat ik bij Bo ging eten. Ze weet toch niets van onze ruzie.

Benjamin roert de groente in de pan tot ze gaar zijn. Ik schil en snij het fruit voor de salade. Uit de eetkamer klinken gezellige geluiden van de gasten.

'Het gaat goed,' zeg ik, meer tegen mezelf dan tegen Benjamin. Hij kijkt op en schudt zijn hoofd.

'Ik zei nog zo, géén appels, die moeten we bewaren voor de taart!' Hij grist met een boos gebaar de appels van tafel. Er valt er een op de grond.

'Sorry,' zeg ik. 'Het is ook zo druk.'

'Als je het niet aankan ga je maar weg.'

Ik snij de bananen in kleine stukjes. Bij het laatste stukje mis ik en snij in mijn vinger. Er stroomt nu een straaltje bloed uit. Ik stop mijn vinger geschrokken in mijn mond. De ijzersmaak van het bloed maakt me misselijk.

'Wat doe je nou weer?' Benjamin pakt mijn hand beet. Zijn vingers voelen ruw aan. 'Dit moet verbonden worden.'

Benjamin grist een verbanddoosje uit de wandkast en begint snel mijn hand te verzorgen. Als hij het verbandje aantrekt gil ik. Waarom doet hij zo ruw?

'Zo, en nu snel de salade afmaken.'

Ik pak een mango. Ik zou het liefst naar huis rennen. De tranen branden in mijn ooghoeken. Waarom snauwt hij zo tegen me?

'Wat is er?' Benjamin kijkt me aan.

'Niks.'

'Je huilt.'

'Niet waar.' Ik veeg met de rug van mijn hand over mijn ogen.

'Zo'n pijn doet je vinger toch niet?'

'Laat me nou maar.'

'Als er niks is, werk dan in godsnaam door.'

'Stik erin.' Ik gooi het mes op tafel en wil de salade over de keukenvloer smijten, maar ik hou me in. Straks kan ik weer opnieuw beginnen.

'Wat nou?' Benjamin kijkt me boos aan.

'Je bent vreselijk chagrijnig. Al de hele dag. Als ik wat heb misdaan zég het dan gewoon, maar ga me niet zo lopen afzeiken.'

'Ik ben chagrijnig omdat ik voor zes mensen moet koken. Vanavond wacht me nog een schilderklus voor de badkamer en Jacky verwacht ook nog dat ik morgenochtend het ontbijt doe.'

Ik schud mijn hoofd. 'Dat wist je van tevoren. En je was vanmiddag al niet te genieten met je aanval op Bo.'

'Bo spoort niet. Ze had die gozer meteen moeten dumpen.'

Gaat het daar nou weer over? 'Snap je dan niet dat ze verliefd op hem was?'

'Nee, dat snap ik niet.'

'Dan ben jij zeker nog nooit verliefd geweest,' snauw ik.

Benjamins gezicht betrekt. 'Hou je mond als je niet weet waar je het over hebt.'

De deur van de keuken gaat open en Jacky kijkt ons

vragend aan. 'Wat is hier aan de hand? Ik hoor jullie geschreeuw door drie muren heen.'

'Niks, mam,' zegt Benjamin. 'Kan jij de fruitsalade meenemen? Sam is nu wel klaar, denk ik zo.'

Jacky pakt de schaal van tafel. 'Laten jullie mijn keuken heel?'

Benjamin kijkt mij aan. Wéér die uitdagende blik. Alsof hij een ruzie uit wil lokken. Ik gris de schaal uit Jacky's handen. 'Ik ga wel,' zeg ik.

Het is al laat in de avond en ik zit aan de keukentafel met Jacky. Ik voel me al helemaal thuis hier. We spelen een spelletje schaak en ik sta hopeloos achter.

Benjamin doet zwijgend het vaatwerk in de nieuwe afwasmachine. Rosa zit met haar duim in haar mond bij mij op schoot. Ze leunt zwaar tegen mijn borst, die nu gevoelloos is.

Ik buig mij voorover om een pion te verplaatsen. Jacky's grijns voorspelt niet veel goeds. En inderdaad, ze doet een magnifieke zet.

Op dat moment gaat de keukendeur open en komt Elsa binnen. Ze draagt een nieuwe broek met een roze trui. Met een verwarde blik gooit ze haar tas in de hoek.

'Kan ik je even spreken?' vraagt ze aan mij. Ik wijs op Rosa, die bijna slaapt.

Benjamin kijkt op van de afwas. 'Kan ík je misschien helpen?'

Elsa kijkt geschrokken opzij, alsof ze Benjamin nog helemaal niet had gezien. 'Nee, sorry.'

Ik merk aan Elsa dat het belangrijk is dus ik geef Rosa voorzichtig aan Jacky. 'Kom,' zeg ik tegen haar. We lopen naar de woonkamer. Elsa ploft op de bank neer en kijkt me paniekerig aan. Ze vist een brief uit haar rugzak en ik herken het logo van onze school. Er steekt iets in me, ik was school helemaal vergeten.

'Heb jij deze brief ook gehad?' vraagt Elsa.

Ik knik. 'Maar ik heb hem nog niet opengemaakt. School boeit me nu even niet.'

'We gaan op kamp,' zegt Elsa. 'Om elkaar beter te leren kennen.'

Het kamp voor de vierdeklassers. Ik gris de brief uit haar handen.

'Wat gaaf, we gaan abseilen, wildwatervaren en zwemmen! Dat moet ik aan Bo laten zien.' Dan pas dringt het tot me door. Ik sla een hand voor mijn mond en kijk Elsa schuldig aan. 'O, sorry, ik was even vergeten dat...'

'Ik ga niet zwemmen,' zegt Elsa stellig. 'Echt niet.'

'Je zal toch een kéér je sokken uit moeten doen,' zeg ik zachtjes. 'Anders word je gek.'

'Dat moet jij nodig zeggen met je flaporencomplex,' verdedigt Elsa zich.

'Ik snap dat je het eng vindt, maar ik zal je helpen. Als ze je pesten krijgen ze een dreun van mij, goed?'

'Zo simpel is het niet,' zegt Elsa.

'Leg het me dan uit.'

'Het valt niet uit te leggen.'

'Je doet je best ook niet,' zeg ik.

Elsa snuift. 'Je hebt echt geen idee, hè? Jongens vinden me walgelijk. Zelfs iemand als Teddy wilde niks met me. En waarom? Omdat ik vies ben. Weet je hoe het is als niemand naar je durft te kijken? Of als iedereen je juist overdreven aanstaart?'

Ik voel haar woede van de discoavond weer over me heen komen. Kan ik er wat aan doen? Ik wil haar helpen! Ze moet haar boosheid niet op mij afreageren!

'Sorry,' zegt Elsa zachtjes.

'Het geeft niet,' zeg ik. 'Maar ik weet soms ook niet hoe ik moet reageren, hoor.'

Elsa knikt. 'Ik vind dat je juist heel goed reageert, beter dan wie dan ook. Ik had nooit zo boos mogen worden. Alleen soms... dan wordt het me even teveel.'

Ik begrijp dat ze het nu zowel over de brandwonden als over Teddy heeft.

'Beloof dat je op zulke momenten naar me toe komt?' zeg ik. 'Ik ben er voor je.'

Elsa knijpt zachtjes in mijn hand.

Lieve Wendy,

Bij elk lief woordje wilde ik dat het uit jouw mond kwam.
Bij elke lach wilde ik dat het jouw lippen waren.
Elsa is een lieverd, maar ik mis jou. Elke keer als ik haar zie denk ik weer aan jou. Waarom is het zo fout gelopen? Wat is er misgegaan? Er gaat geen dag voorbij dat ik er niet aan denk.

Benjamin doet steeds valser. Ik weet niet wat er aan de hand is. Vanavond keek hij weer zo uitdagend. Het lijkt alsof ik iets verkeerd heb gedaan. Maar wat? Er is niks meer over van de lieve buurjongen die hij eerst was. Wat vind jij? Moet ik met hem praten? Ik fantaseer over hem. Dat ik 's ochtends wakker word en zijn adem tegen mijn haren voel. Dat hij me opwacht als ik uit school kom, dat hij mee gaat naar de schoolfeesten, dat we samen zwemmen in het meer. Naakt.
Hij was de eerste jongen die aandacht voor me had. Die me leuk vond om wie ik was. Geen Samantha, maar Sám.

X Sam

Ik duw het boodschappenkarretje voor me uit. Mama wilde dat ik nog even wat beleg zou halen voor de lunch. Ze was gisteren nog wakker toen ik thuiskwam. Ze vroeg niet eens wat ik zo laat nog bij Bo moest. Ik wist net op tijd mijn werkschort weg te moffelen. Ze had thee gezet en we hebben nog even aan de keukentafel gezeten. Voor het eerst sinds maanden.

'Hoi Sam.'

Ik kijk op, recht in de ogen van Elsa. Ze duwt een overvol karretje. Aan de rechterkant puilt er een stuk prei uit.

'Hé, hoe is het?' Ik gris een stuk kaas uit het koelvak.

'Goed. Dankjewel nog voor gisteren.'

'Graag gedaan.'

'Ik moest nog van Jacky zeggen dat je vanavond niet hoeft te werken. Alle gasten checken vandaag uit.'

Ik kijk haar verbaasd aan. 'Wanneer heeft ze dat gezegd?'

'Gisteren, toen jij al weg was.'

Ik voel een steek van jaloezie. 'Ben je nog gebleven?'

'Benjamin drong aan. Ik moest tegen hem schaken.'

'Leuk,' zeg ik en hoor hoe nep mijn stem klinkt. Gelukkig heeft Elsa niks in de gaten.

'Misschien vertel ik het hem wel een keer,' zegt Elsa. 'Over mijn brandwonden. Volgens mij is hij heel aardig.'

Vertel mij wat, denk ik.

Tijdens de lunch verschijnt het rode hoofd van Bo voor ons keukenraam. Ze rukt de deur open en komt met veel lawaai binnen.

'Sorry,' verontschuldigt ze zich tegenover mijn ouders. Ik kijk mijn vriendin verrast aan. Ze heeft gisteren niks laten horen en nu komt ze ineens onze keuken in gestormd.

'Kan ik je even spreken?' zegt ze met een dwingende blik.

Na een paar boze blikken van mijn ouders mag ik toch van tafel. Ik loop met Bo mee naar boven. Ze ploft op mijn bed neer en hijgt nog na van het harde fietsen.

'Ik kom even zeggen dat je misschien wel gelijk had over Teddy.'

Vanbinnen juicht er iets in me, maar ik hou me in. Bo die iets toegeeft, dat gebeurt niet dagelijks.

'Hij heeft niet eens meer gebeld, de zak.'

'Maak je niet druk, hij is het niet waard.'

Bo slaat op mijn benen. 'Gelukkig heb ik jou nog. Vind je het nog erg dat ik niet mee was varen?'

'Het was erg gezellig met Benjamin,' lieg ik.

'Gelukkig maar. Was Ellie nog mee?'

'Ja, Elsa was er ook.'

Ik moet denken aan onze ontmoeting in de supermarkt vanochtend. Op de een of andere manier heb ik er een vreemd gevoel over. Toen ze vertelde over Benjamin die met haar wilde schaken leek er een beest in mij te brullen. Ik wilde tegen haar uitvallen, tegen haar roepen, maar waarom? Ben ik zo jaloers omdat Benjamin niks tegen mij zegt maar wel tegen haar? Wat kan Elsa daar nou weer aan doen?

'Zullen we vandaag gaan zwemmen?' Bo onderbreekt mijn gedachten. 'Het is de laatste mooie dag van de week.'

'Is goed,' zeg ik, nog piekerend over Benjamin.

'Vragen we je buurjongen ook? En Ellie?'

Ik vraag me af of Benjamin ooit nog mee wil met mij.

'Sam, waar ben je over aan het piekeren?' Bo schudt me aan mijn arm. 'Benjamin is verliefd op je, dat weet ik zeker.'

Ik schud mijn hoofd. 'Hoe weet je dat?'
'Gewoon, de manier waarop hij naar je kijkt.'
Dan weet ze niet hoe hij de laatste dagen naar me keek.
Ik zie zijn uitdagende, valse blik weer voor me.

Vijftien

Ik denk dat Bo gelijk heeft over het weer. Het is benauwd buiten en de lucht voelt vochtig aan, alsof er elk moment een tropische regenbui op ons neer kan dalen. Met z'n vieren fietsen we naar het meer. Elsa en Benjamin rijden een paar meter voor ons. Ik heb ze toch maar gevraagd en tot mijn verbazing wilde Benjamin mee. Met mij... Of met Elsa?

Gelukkig heeft Bo het niet meer gehad over de disco-avond met Teddy. Ik denk niet dat Elsa er nog aan herinnerd wil worden. Ik luister hoe Elsa en Benjamin luid met elkaar praten. Het gaat over het nieuwe schooljaar en het schoolkamp.

Wat jammer dat Benjamin al van school af is. Stel je voor dat hij mee zou gaan op kamp. Door de gedachten alleen al beginnen mijn handen te zweten. Ik veeg ze af aan mijn korte spijkerbroek.

Benjamin wiebelt heen en weer op zijn zadel, alsof hij een zwaar examen moet maken. Ik kijk naar de rand van zijn boxershort, die net boven zijn zwembroek uitsteekt. Rood-wit gestreept. Het blote stukje rug ziet er lekker warm uit.

'Hier naar rechts!' brult Bo naar voren en Elsa en Benjamin steken hun hand uit.

Bij het meer zijn Bo en ik in een mum van tijd omge-kleed. Elsa blijft verlegen op haar handdoek zitten. Ik vind het toch knap van haar dat ze mee is gegaan.

'Waarom zwem jij niet?' Bo kijkt haar vragend aan.

'Gewoon niet, ik hou er niet van.'

Bo trekt één wenkbrauw op en wenkt me. 'Sam, kan jij geloven dat iemand niet van zwemmen houdt? Je kán het toch wel?' Ze kijkt weer naar Elsa, die een beetje rood wordt.

'Laat haar nou maar, als ze niet wil.' Ik wil Bo meetrekken, maar die blijft koppig staan.

'En als het nou veertig graden is?' gaat ze verder. 'Wil je dan ook niet?'

Benjamin komt naast ons staan. Zijn handdoek bungelt om zijn nek. De tatoeage van de bloem trekt mij aan als een magneet. 'Wat is er aan de hand?'

Bo wijst op Elsa. 'Onze zeemeermin is bang voor water.'

Ik glimlach. Het is Bo dus ook opgevallen dat ze daarop lijkt.

Benjamin haalt zijn schouders op. 'Nou? Dat moet ze toch zelf weten? Waar bemoei je je mee?'

'Het is bloedheet,' verdedigt Bo zich. 'Welke gek blijft er dan aan de kant zitten zweten?'

Ik wil Bo nog een keer meetrekken, maar ze blijft hardnekkig staan.

'Jij bent echt ongelooflijk,' zegt Benjamin.

'Pardon?' Bo doet een stap naar voren. Haar gezicht is nu vlak bij dat van hem. Ik hou mijn adem in. Ik weet hoe boos mijn vriendin kan worden en Benjamin kan er ook wat van. Als twee kemphanen staan ze tegenover elkaar.

'Je bent gewoon jaloers,' zegt Benjamin.

'Op die kip?' Bo lacht.

'Wie is hier nou een kip? Jij wordt verliefd op een verkrachter.'

'Benjamin!' roepen Elsa en ik tegelijk. Wat is er met hem aan de hand? Waarom doet hij zo vijandig?

'Het is toch zo?' roept hij uit. 'Niemand zegt het, maar

iedereen denkt het. Ze bleef hem verdedigen, zelfs toen jij haar vertelde over Elsa.'

Nu is het genoeg. Ik zie bij Bo de tranen in de ogen springen. 'En nu hou je op.' Ik kijk hem kwaad aan. 'Bo is mijn vriendin en je blijft van haar af.'

Benjamins ogen spugen vuur. Zijn neusgaten staan wijd open.

Ik kijk naar Elsa, die trillend op haar handdoek zit.

'Dus je kiest voor haar.' Het klinkt als een conclusie.

'Ik kies voor niemand,' zeg ik. 'Ik wil gewoon gezellig zwemmen met z'n vieren.'

Bo snuift. 'Ik denk er niet over. Ik ga niet zwemmen met hem. En al helemaal niet met haar.' Ze pakt haar handdoek en spullen bij elkaar en beent terug naar haar fiets.

Ik loop achter mijn vriendin aan. Elsa en Benjamin laat ik achter. Ik kies voor Bo.

Lieve Wendy,

Ik snap het niet meer. De hele vakantie is als een moeilijke puzzel, waar elke keer een stukje ontbreekt. Benjamins woede, Bo's jaloezie, Elsa's verlegenheid, het is gewoon teveel. Ik wil oplossen in het meer, ik wil verdwijnen onder mijn stoffige bed, ik wil mee in de envelop naar jou. Benjamin is niet meer hetzelfde. Hij is vals, gemeen, vijandig. Ik snap er niks van. Zijn familie, Jacky en Rosa, bij hen voel ik me thuis. Benjamin deed me iets voelen wat ik niet kende. Hij vond me leuk, Wendy. Ik voelde me eindelijk speciaal. Hetzelfde als ik bij jou heb. Had. Als ik bij jou was voelde ik me tien kilo lichter en zweefden we samen over de wereld. Ik ben jou kwijt, maar Benjamin moet bij mij blijven.

X Sam

Ik duw mijn bureaustoel naar achteren. De brief voor Wendy grijnst me aan. In mijn hoofd hoor ik haar terugpraten. Die keer toen ik een onvoldoende kreeg omdat ik zogenaamd had afgekeken. Onze mentor gaf me een vier. Wendy boog zich naar me toe en zei: 'Je moet naar haar toe gaan. Je hebt niet afgekeken en dat wéét je.'

Ik had de moed al opgegeven, maar Wendy bleef aandringen. Ze vond het belachelijk dat ik me zo liet kisten. 'Ga naar haar toe en leg het uit. Je verdient een acht, je hebt zo hard geleerd.'

Ik nam met tegenzin de twee trappen omhoog. In het stoffige lokaal zat onze mentor onze schriften na te kijken. Ze was verbaasd dat ik er was. Met Wendy's woorden in mijn achterhoofd begon ik verlegen mijn betoog. De mentor vroeg of ik soms mijn toets over wilde doen. Ik haalde een negen.

Ik schud mijn hoofd, maar de woorden van Wendy blijven komen. *Je hebt niks verkeerd gedaan, en dat wéét je.*

Ik vouw de brief naar Wendy op en stop hem in mijn achterzak. Dan neem ik een besluit. Ik dender de trap af.

'Wat ga je doen?' Mama komt verbaasd om de hoek van de kamer.

'Even naar Bo,' lieg ik. 'Hoezo?'

'Het regent pijpenstelen.' Ze wijst naar buiten. Dikke druppels tikken tegen het raam.

'Ik ben zo terug,' zeg ik om haar af te wimpelen. 'Voor het eten, goed?'

Mama schudt haar hoofd, maar laat me gaan.

De kiezelsteentjes zijn glad onder mijn zolen. Bij de villa bel ik drie keer aan. Eéntje voor de hoop dat Benjamin opendoet, ééntje voor de hoop op een goed gesprek, en ééntje voor de hoop op een zoen.

'Sam? Wat doe jij hier? Je hoeft niet te werken vandaag.' Jacky kijkt me verbaasd aan. Ik voel hoe mijn korte pony tegen mijn voorhoofd plakt. Ik lik een regendruppel van mijn neus.

'Ik kom voor Benjamin.'

Jacky lacht. 'Die wilde per se naar buiten, ik raadde het hem nog af, maar de regen kom hem niks schelen.'

Ik kijk om me heen. Waar kan hij heen gegaan zijn?

'Hij zei iets over het meer,' zegt Jacky. 'Geen idee wat hij daar moet. Als je hem vindt, wil je dan zeggen dat ik wacht met warme chocomel?'

Nog voordat ik iets kan zeggen, heeft Jacky de deur alweer dichtgegooid. Geen goed begin, denk ik bij mezelf. Ik duw mijn fiets door de modder en zie hoe mijn schoenen bruin kleuren.

De regen slaat in mijn gezicht als ik de weg naar het meer afleg. Ineens lijkt het tien keer verder dan normaal. De regen komt nu met bakken uit de hemel. Alsof de regengod wraak wil nemen op al die weken zon.

Helemaal doorweekt kom ik bij het meer aan. Ik zie twee fietsen staan. Ik spring van mijn zadel af, midden in een plas, en kijk naar beneden. Met een kwaad gebaar schop ik het plasje water uit mijn gympen. De veters hangen er als zielige sliertjes bij.

'Benjamin?' Mijn stem wordt overstemd door de heftige regen en ik veeg mijn haar uit mijn ogen. Voorzichtig, om niet uit te glijden, loop ik richting het water.

Ineens doemen twee ruggen op. Ik blijf van een afstandje kijken. Ze dragen allebei een capuchon. Ik hoor stemmen en moet moeite doen hen te verstaan. De jongen heeft zijn arm om de persoon heen geslagen en hij praat zachtjes in haar oor.

Is het Benjamin? Door de regen kan ik het niet goed

zien. De jongen buigt zich opzij en met zijn handen veegt hij lief haar capuchon af, om haar vervolgens te zoenen. Er vallen blonde lokken over haar schouders. Elsa.

Zestien

Ik fiets en fiets. Mijn benen komen los van mijn heupen. Ik slip door de bocht en voel hoe de modder in mijn gezicht spat. Ik schenk er geen aandacht aan, ik wil fietsen tot ik erbij neerval.

Ik neem nog een bocht en rij het bosje in. De takken slaan in mijn gezicht. Dan ligt er een grote stronk op de grond. Ik knijp zo hard in de remmen dat ik haast over mijn stuur heen vlieg. De fiets smijt ik met een nijdig gebaar tegen een boom. Ik spring over de stronk hout heen en ren door het bos.

Eindelijk ben ik op mijn plekje. Het meer lijkt haast zwart en het zand is donker van de regen. Ik gris een grote tak van de grond en smijt hem in het water. De grote plons is niet genoeg. Ik gooi nog een tak, nog een, en nog een. Ik schreeuw het uit. Het voelt alsof er iets uit mijn tenen moet komen, maar halverwege blijft steken.

'Stomme trut,' brul ik over het water. Ik smijt een steen met een grote boog in het meer. 'Vuile, achterbakse trut!'

Ik voel hoe mijn nagels in mijn vel boren. Ik laat me in het zand zakken en sla mijn handen voor mijn gezicht. Ik ril van de kou in mijn natte kleren.

'Waarom?' fluister ik zachtjes. 'Waarom?' Ik voel hoe de tranen in mijn ogen prikken en geniet haast van de pijn in mijn koude lijf. Mijn hart klopt harder dan ooit en ik schop mijn schoenen uit. Ik sta op en loop naar het water. Ik moet het meer in.

'Waar ben je dan, hè? Vriendin van niks!' Het water

komt tot mijn enkels en ik voel de schelpjes in mijn tenen prikken. 'Je was er zogenaamd altijd. En nu? Ik heb je nodig en je bent er niet eens.' Ik kijk om me heen. Het water komt tot mijn middel. 'Je zei dat ik je nooit mocht laten gaan, maar gold dat alleen voor mij? Je hebt me laten stikken, net als die twee.' Die twee...

Het water komt tot mijn schouders. 'Brieven, dat is alles wat ik over heb. Maar ik heb jóu nodig. De versie van vlees en bloed, niet die van papier.' Ik begin nog harder te huilen. Het water komt tot aan mijn kin.

'Weet je nog wie ik ben? Ken je me nog? Ben je me soms vergeten?' Ik draai nog een rondje. Het zwarte water lijkt me op te slokken. 'Waar ben je, Wendy? Alsjeblieft, kom terug.'

Mijn hoofd zakt onder water.

Rillend trek ik de warme deken op tot aan mijn kin. Met klapperende tanden zie ik het silhouet van mama in de deuropening. Ze sluit de deur achter zich en de kamer vult zich weer met duisternis. Ik voel hoe ze op de rand van mijn bed gaat zitten en onhandig over mijn rug wrijft. De kou in mijn lichaam steekt nog altijd.

'Waar ben je geweest?' Mama's stem klinkt bezorgd.

'Nergens,' klapper ik. 'Nergens.'

Het is weer stil. Ik hoor de kerkklok van het dorp twaalf uur slaan. Mama knipt het lampje naast mijn bed aan en ik zie haar rode ogen. Heeft ze gehuild? Om mij? Ik doe mijn ogen dicht, voel het koude water weer langs mijn wangen stromen.

Ik voel de diepte van het meer weer, ik begin te rillen. Mama probeert mijn hand te vinden onder de deken en knijpt erin.

Eventjes voel ik me weer acht jaar. Ik was bang in het

donker en mocht tussen papa en mama in komen liggen. Ik boorde mijn neus in mama's pyjama, die altijd naar wasmiddel rook. Als ik wakker werd lag ik precies zoals ik in slaap gevallen was.

'Was je bij de buren?'

De buren. Het beeld van het meer schiet weer door mijn hoofd. Benjamin, met zijn arm om haar schouders. Die van háár in plaats van die van mij. De blonde lokken van Elsa, waar ik zo van schrok. Hun zachte woorden die ik niet kon verstaan. Ik knijp mijn ogen nog steviger dicht, alsof het beeld zo zal verdwijnen.

'Ik zei toch dat ze niet goed voor je zijn,' zegt mama met een zachte stem. 'Waarom ben je ook altijd zo koppig?'

Benjamin aan het water, Benjamin zoenend, Benjamin doorweekt van de regen.

'Beloof je me dat je voortaan bij hen uit de buurt blijft?'

Benjamin zeulend met de boodschappen, Benjamin roerend in een grote pan saus, Benjamin in een gele zwembroek aan de rand van het zwembad.

'Ik ga morgen naar ze toe en maak ze duidelijk dat dit niet langer kan.'

Benjamin met de bloem op zijn borst, Benjamin spelend met zijn kleine zusje, Benjamin in de wind op de hoogste duikplank.

Mama staat op en ik voel hoe het matras weer ruimte krijgt. Bij de deur kijkt ze nog even om, maar ik doe alsof ik slaap.

Wendy,

Woorden zijn maar woorden,
Jij bent zoveel meer,
Dan woorden kunnen zeggen,

Dan zinnen laten zien,
En toch wil ik je zeggen,
Het lukt me heel misschien...

Ik vergeef je niet.
Ik vergeet je niet.

X Sam

Het is vreemd om te zien hoe de wereld gewoon verder-gaat. Als ik 's ochtends beneden kom heeft mama het ontbijt al op tafel. Ze werpt me een veelbetekende blik toe, maar zegt gelukkig niks. Julia kijkt nieuwsgierig van mama naar mij, alsof ze voelt dat er een geheim in de lucht hangt.

Ik ga zitten en neem een broodje uit de mand. Met langzame bewegingen smeer ik de jam er dik op. Het spul kleeft aan mijn tanden en ik kijk naar buiten. De villa ligt er treurig bij, helemaal nat van de regen. Ineens zie ik het spookachtige weer.

Zou Benjamin nog slapen? Wat zou Jacky nu aan het doen zijn? Het voelt niet meer als mijn zaken. Ik ben gisteren een familie kwijtgeraakt.

'Elsa komt zo even langs.' Mama schenkt een kopje thee in.

Elsa? Mijn bloed begint sneller te stromen. Ik knijp in het tafelkleed en probeer mijn woede te verbergen. Ik wil haar niet zien, nooit meer. Van mijn part valt ze dood neer, het kan me niet schelen.

Na het ontbijt gaat de bel. Ik wil naar boven vluchten, maar mama heeft de deur al open. Elsa komt binnen, met haar regenjas aan. Als ze in de gang staat staar ik haar aan. Ze is nog precies dezelfde. Blond, blauwe ogen, engelach-tig.

'Sam, ik moet je even spreken.'

We gaan naar boven en Elsa kijkt haar ogen uit in mijn kamer. Ze haalt alle boeken uit de kast en leest de achterflappen. 'Ik heb gisteren met Benjamin gepraat,' zegt ze.

Ik weet het, denk ik bij mezelf. Jullie hebben niet alleen gepraat.

'Ik vertelde hem van mijn brandwonden. Hij kan erg goed luisteren.'

Ik moet denken aan de eerste keer dat ik hem ontmoette. Een paar weken geleden pas. Hij zei dat ik altijd welkom was als ik ergens mee zat. 'Problemen?' Dat was het eerste wat hij tegen me zei.

'Ik heb hem alles verteld over vroeger, over dat ik gepest werd, over dat ik zo onzeker ben over schoolkamp. Hij begreep het als geen ander.'

Als geen ander? En ik dan? In gedachten zie ik hen samen zitten.

'Hij vond me niet vies, Sam. Dat had ik wel verwacht. Hij schrok niet toen hij mijn benen zag, hij vond het niet lelijk. Hij deinsde niet achteruit zoals jij.'

'Ik deinsde niet achteruit,' zeg ik.

'Je schrok wel.'

'Niet waar.'

'Ik vind het niet erg, maar je zat me met open mond aan te gapen.'

'Ga je me dat nu kwalijk nemen?' roep ik kwaad.

'Nee natuurlijk niet, waarom doe je ineens zo boos?'

Ik schud mijn hoofd. Elsa kan niet weten dat ik boos ben. Ik heb het nooit over Benjamin gehad met haar. Ze heeft nooit kunnen zien hoe verliefd ik op hem was. Zelfs Bo weet dat niet.

'Hij is de eerste jongen die aandacht voor me heeft,' gaat Elsa verder. Haar ogen stralen. 'Hij laat me dingen voelen die ik niet ken. Ik voelde me gisteravond voor het eerst heel veilig, alsof me niks kon overkomen. Voor mijn gevoel word ik nooit meer gepest, nooit meer.'

Ik weet hoe ze zich voelt. Ik weet het precies. Als ik bij hem was had ik dat ook. Benjamin is groot en sterk, hij zorgt voor je. Samen met hem heb je het gevoel dat je iemand bent. Jacky en Rosa zijn precies zo. Ze geven je het gevoel dat je iemand bent. Sam de serveerster, Sam de mooieverhalenverteller, Sam die mooier is dan ze zelf denkt. Bij de villa is alles anders. Het lijkt wel een heel andere wereld dan erbuiten. Die wereld wil ik niet delen, met niemand niet.

'Hij sloeg zijn arm om me heen en zei dat ik mooi was. Dat ik me niet moest schamen voor mijn benen,' zegt Elsa. 'Nog nooit heeft iemand dat tegen me gezegd, dat ik mooi ben.'

'Ik wel,' herinner ik haar. 'Weet je dat niet meer?'

Elsa glimlacht. 'Maar als een jongen het zegt is het anders. Hij valt op me, hij vind me aantrekkelijk. Benjamin is de eerste jongen die zoiets zei, en hij meende het. Ik hoorde het aan zijn stem.'

'En toen?' vraag ik. 'Wat gebeurde er toen?' De beelden van gisteren flitsen weer door mijn gedachten. Nu zijn het nog beelden, maar wat als ze uitgesproken worden? Wil ik wel horen wat ik gisteren heb gezien?

'We hebben gezoend.' Elsa's hoofd is roder dan ooit.

'Wie begon?' vraag ik zakelijk.

'Ik,' zegt Elsa verlegen. 'Ik weet ook niet waarom ik het deed, maar hij was zo lief en ik was zo opgelucht dat hij zo reageerde.'

'Ja.'

'Normaal ben ik niet zo,' zegt Elsa. 'Ik ben veel te verlegen.'

'Weet ik,' zeg ik.

Elsa staat op en pakt haar regenjas van de stoel. 'Zie ik je vanmiddag? Benjamin en ik gaan weer varen en het lijkt me leuk als je meegaat.'

'Het gaat weer regenen,' zeg ik snel. Ik schaam me niet eens voor mijn leugen.

Zeventien

Bo en ik zitten samen aan de keukentafel. We eten pan-
nenkoeken, die mama net heeft gebakken.

'Ik kwam Elsa en Benjamin nog tegen,' zegt Bo. 'Ze gingen varen, geloof ik.'

'Weet ik, ze vroegen of ik meeging.'

'Waarom deed je dat niet? Ik dacht dat jij Benjamin zo leuk vond?'

'Niet meer,' zeg ik.

'Omdat hij zo gemeen tegen me was?' Bo kijkt me vragend aan. Het lijkt me maar het beste om te knikken.

'We hebben helemaal geen jongens nodig.' Bo zakt een beetje onderuit. 'We hebben elkaar, dat is waar het om gaat.'

Ik moet denken aan alle jongens die Bo gehad heeft. Volgens mij meent ze dit helemaal niet, maar toch voel ik me beter. Bo blijft bij me, wat er ook gebeurt.

'Ik ben benieuwd naar het nieuwe jaar. Gek idee toch, dat we alweer bijna beginnen?'

Ik knik. 'Heel vreemd.'

'Hé.' Bo stoot me aan. 'Niet piekeren over Benjamin, hoor. Die zak is het niet waard.'

Dat is het nou juist, denk ik. Die zak is het wel waard.

Lieve Wendy,

Dit is mijn laatste brief aan jou. Het is genoeg geweest. Het nieuwe schooljaar begint bijna en ik ga je vergeten.
Tenminste, dat ga ik proberen. Jij hoort bij Samantha, niet

bij Sam. Ik wil opnieuw beginnen, samen met Bo. Ik kan je
niet vaak genoeg zeggen hoeveel ik om je geef. Hoe erg ik je
gemist heb het afgelopen jaar. Hoe vaak ik aan je denk, dat
wil je niet eens weten.
Weet je wat ik nog het ergste vind? Dat ik niet weet
waarom het zo gelopen is. Ik blijf in onzekerheid zitten,
het vreet aan me. De dag dat jij wegreed met de auto, ik
herinner het me zo goed. Ik zag jullie groene wagen de hoek
om rijden, ver bij mij vandaan. Vanaf dat moment heb ik
me afgevraagd of je zou schrijven, waarom je niet belde. Ik
kan dat blijven doen, maar ik weet dat het geen zin heeft.
Jij bent mij vergeten en nu vergeet ik jou.

X Sam

Ik stop voor de laatste keer de brief in de enveloppe. Ik
schrijf het adres met krullerige letters op. Ik geef stiekem een zoen op het papier en stop hem in de doos.
Zeventig brieven, op datum gesorteerd. Ik plak de rand
van de doos dicht en schrijf op de bovenkant met zwarte
stift: *Brieven aan niemand.*

Met een vreemd gevoel in mijn buik schuif ik de doos
onder mijn bed.

'Sam?' Julia's hoofd verschijnt om de hoek van de kamer.

'Ja?'

'Was je weer naar Willem aan het schrijven?' Julia
kijkt me gretig aan. Ze is opeens heel duidelijk twaalf.

Ik kijk naar mijn zusje die de deur achter zich dicht-
doet en naast me op bed komt zitten. Ze ziet er lief uit
vandaag: een blauw jurkje met witte bloemen. Het is van
mij geweest, toen ik nog Samantha was. Maar haar staat
het veel beter.

'Er is geen Willem,' zeg ik. 'Ik heb hem verzonnen.'

Ik weet niet waarom ik dit ineens vertel. Misschien wel omdat ik hoop dat we het oude gevoel terugkrijgen.

'Maar al die brieven dan?' Julia staart me ongelovig aan. 'Voor wie waren die?'

'Dat gaat je niks aan,' zeg ik vinnig.

Julia staat op. Ik voel mijn schuldgevoel opkomen en pak haar bij de arm.

'Sorry,' zeg ik. 'Ik voel me gewoon niet goed.'

'Dat krijg je ervan als je midden in de nacht gaat zwemmen. Het regende pijpenstelen!'

Ze weet het. Zie je wel, mama kon haar mond weer niet houden. Julia, haar lievelingetje, krijgt alles als eerste te horen.

'Ik zag je terugkomen,' zegt Julia zachtjes. 'Ik kon niet slapen en keek uit het raam. Je kwam helemaal doorweekt thuis.'

'Dat kon toch ook door de regen komen?' merk ik scherp op.

Julia knikt. 'Had ook gekund.'

We zwijgen. Ik kijk naar mijn sokken. Mijn grote teen heeft een weg naar buiten gevonden. Julia trommelt met haar handen op haar dijen.

Ik denk over mijn 'vriendje' Willem. Hoe zou hij eruitzien als hij echt bestond? Donker haar, witte tanden en een bloemtatoeage?

Ik zie het gezicht van Benjamin ineens heel scherp voor me. Zijn boze blikken van de laatste paar dagen. Die uitdagende ogen, alsof hij ruzie zocht. Wanneer is dat begonnen? Ik probeer het me voor de geest te halen. Het lijkt zo lang geleden. In gedachten zie ik mij in de keuken staan, met trillende handen. Die borden... Ik had er zoveel laten vallen. Dat was zijn eerste scherpe opmerking. Ik weet nog dat ik dacht: het is geen grapje.

Wat was er die dag gebeurd? Dave en Teddy waren net gearriveerd, volgens mij was het het eerste eten dat ik moest brengen. Benjamin maakte een toetje met kersen, hij was Julia tegengekomen in de stad. Niks bijzonders dus.

Ik zucht diep, volgens mij kan ik het wel vergeten. Benjamin is me zat en ik zal nooit weten waarom. Hem vragen durf ik allang niet meer. Hij komt in een stoffige doos onder mijn bed terecht, net als Wendy.

'Jammer,' zegt Julia ineens. 'Dat Willem niet bestaat. Ik had hem best willen zien.'

'Ik ook,' zeg ik. Dan schiet er ineens iets door mijn hoofd. Mijn gedachten werken zo snel dat ik ze nauwelijks bij kan houden. Benjamin sprak Julia in het dorp. Daarna is het begonnen. Daarna kwam die opmerking over die borden. Toch?

Ik kijk mijn zusje van opzij aan. 'Je kwam Benjamin laatst tegen in de stad,' zeg ik.

Ze kijkt terug en knikt. 'Hoezo?'

'Wat heb je tegen hem gezegd?'

'Niks, dat ik je zusje was.'

'Wat nog meer?'

'Weet ik veel?'

Ik pak haar bij de schouders en schud haar door elkaar. 'Wát heb je gezegd?!'

Julia kijkt me boos aan en slaat mijn handen van zich af. 'Laat me los, gek.'

'Zeg het dan, wat heb je verteld?'

'Ik wéét het niet. We hebben gewoon even gepraat, over jou, over school, over je vriendje, over het dorp.'

'Mijn *vriendje*?' Ik kijk haar met grote ogen aan. De puzzel valt op een onwerkelijke manier in elkaar. Het komt door mijn leugen. Mijn kleine leugentje om bestwil.

'Hoe kon ik nou weten dat Willem een verzinsel is?' zegt Julia verontwaardigd. 'Zoiets verzin je toch niet? Wat is trouwens het probleem?'

Ik adem zwaar door mijn neus. Ik voel een vreemde misselijkheid opkomen en sta met een ruk op. Julia roept nog iets, maar ik hoor het niet meer.

De keuken van de villa ziet er nog precies hetzelfde uit. De kruiden hangen aan het plafond te drogen en Rosa tekent aan de tafel in haar schrift. Benjamin staat met zijn rug naar me toe als ik binnenkom. Jacky roept Rosa en neemt haar mee. Ik kijk haar dankbaar aan.

Benjamin kijkt verrast op als hij mijn stem hoort.

'Hoi,' zegt hij zachtjes. Hij schenkt twee glazen sap in en gaat aan de grote eiken tafel zitten. Voor het eerst sinds dagen kan ik hem aankijken.

'Moest je niet gaan varen?' vraag ik nonchalant.

Benjamin knikt. 'Elsa komt zo.'

'Ik heb jullie gezien.' Zo, dat is eruit. Ik heb geen zin meer om eromheen te draaien. Nu ik weet hoe het zit, houdt niks me meer tegen.

'Hoe bedoel je, "gezien"?' Benjamin pulkt aan de rand van zijn glas, hij heeft nog niks gedronken.

'Bij het meer, toen het zo regende.'

'Wat deed jij daar?' vraagt hij. Aan zijn stem hoor ik dat hij zich betrapt voelt.

'Ik was op zoek naar jou.'

'In dát weer?'

'Ik wilde met je praten.'

Benjamin snuift. 'Ja, vast.'

'Ik wilde tegen je zeggen dat je een zak bent.'

Benjamin kijkt me verbaasd aan. Verbaasd, niet boos.

'Ík een zak?'

'Ja, jij. Omdat je de hele tijd de klootzak aan het uithangen was. Hier in de keuken, op de boot, bij de picknick.'

Benjamin staat op. Hij begint te ijsberen door de keuken.

'Ik snapte niks van je gesnauw,' zeg ik. 'En het maakte me kapot. Ik heb heel lang gedacht dat het kwam door de stress en ik wilde je niet nog meer last bezorgen. Je hebt het al druk genoeg met de villa en met Rosa.'

'Wat doe je dan nog hier?' Benjamin valt tegen me uit. 'Rot dan op als je het zo lastig vindt.'

Ik negeer zijn geschreeuw. Dit keer laat ik me niet wegsturen. 'Ik snapte niet waarom je zo deed. Je maakte Bo zwart, in mijn buurt. Je weet hoeveel ik om haar geef.'

'Bo is een jaloers...'

'Kreng,' zeg ik. 'Ja, ik weet het. Maar het is wel míjn jaloerse kreng en je blijft van haar af. En toen ik achter haar aan ging bij het meer koos ik niet voor haar. Ik wilde voor jou kiezen, maar jij was zo onmogelijk bezig.'

Benjamin schudt zijn hoofd. 'En dat zeg jij.'

'Waarom zoende je met Elsa? Om mij te pesten?'

'Zij zoende mij!' roept hij uit. 'En het gaat je helemaal niks aan. Als ik haar wil zoenen mag dat. Jij doet toch ook waar je zin in hebt?'

Ik haal diep adem. Het antwoord komt vanuit mijn tenen. 'Willem bestaat niet,' zeg ik.

'Wat?'

'Willem, mijn vriendje; hij bestaat niet.'

Het is doodstil in de keuken. Ik hoor het getik van de koelkast en ik kijk Benjamin aan. Zijn boze ogen drijven langzaam weg en maken plaats voor verwarring. Hij kijkt me stomverbaasd aan.

'Julia heeft je toch verteld over Willem?'

'In het dorp, ja,' zegt Benjamin. 'Maar ze had het van jou.'

'Weet ik. Het was een leugen.'

Benjamin slaat met zijn vuist op tafel. Mijn glas met sap trilt gevaarlijk. 'Waarom zou je zoiets in godsnaam verzinnen?'

Ik kijk naar beneden. Ja, waarom verzon ik een vriendje? Omdat ik niet wilde dat ze wist over Wendy. Dat ik als een emotioneel wrak nog altijd brieven schrijf naar iemand die niet meer bestaat. 'Ik kon niet anders,' besluit ik.

Benjamin gaat weer zitten. Hij gelooft me niet, ik zie het. 'Waarom kom je hier nu pas mee? Waarom heb je nooit iets gezegd? Ik dacht al die tijd dat je me aan het uitdagen was. Terwijl je wíst dat ik verliefd op je was.'

Ik kijk hem geschrokken aan. Verliefd? Hij?

'Kijk niet zo stom,' zegt Benjamin. 'Het is al sinds ik hier woon.'

Ik denk aan die middag dat ik meehielp met verven. Hoe hij mijn hand met de kwast pakte.

'Je hebt nooit iets gezegd,' stamel ik. 'Je hebt nooit verteld dat je me leuk vond.'

'Je ouders haten mij.'

'Dat is niet waar!' roep ik. 'Ze zijn gewoon vreselijk oppervlakkig. En bovendien: wat kan jou dat schelen? Het gaat om mij.'

'Ik vind familie belangrijk,' zegt Benjamin.

Ik moet denken aan Jacky en Rosa. Zonder erbij na te denken sta ik op en leg een hand op zijn schouder. Benjamin komt ook overeind en we staan tegenover elkaar. Buiten klinkt er een enthousiaste kreet van Rosa. Ik ben nog nooit zo dicht bij hem geweest.

Ik leg mijn rechterhand tegen zijn borst, ter hoogte van zijn tatoeage. Zijn lichaam voelt warm aan onder zijn grijze T-shirt. Mijn hart klopt als een gek. Zelfs mijn tenen beginnen te jeuken. Een tinteling kruipt omhoog en mijn gehemelte kriebelt.

Benjamin kijkt me aan. Een paar haren van zijn wenkbrauwen springen de andere kant op. Ik veeg ze met mijn duim recht.

'Ik...' Verder kom ik niet.

Benjamin buigt zich ineens naar voren. Zijn lippen plakken aan de mijne. Hij slaat zijn armen om mijn middel en drukt mij tegen zich aan. Ik voel hoe zijn hart ook als een gek klopt. Zijn tong komt als een verrassing. Onwillekeurig denk ik even aan Wendy.

Benjamins handen zijn nu overal. Hij woelt door mijn korte stekels, voelt voorzichtig onder mijn shirtje, tot aan het randje van mijn beha. Een overbodig ding, ik heb geeneens borsten.

Zijn handen dalen weer en blijven halverwege mijn rug liggen. Ze strelen in kleine cirkels over mijn rug. Ik draai met mijn tong om die van hem. Onze tanden botsen tegen elkaar. Ik doe voorzichtig mijn ogen open en zie die van hem heel dichtbij. Gesloten, dat wel.

Ik tast met mijn handen zijn gezicht af. Van zijn zwarte kroesharen naar beneden, langs zijn stoppelwangen en scherpe kin. Hoe lang vraag ik me al af hoe dit zou voelen? Zijn lijf zo dicht tegen dat van mij? Zijn lippen sluiten weer. Hij drukt een zacht kusje in mijn nek. Hij ademt warme lucht uit en ik boor mijn neus in zijn schouder. Hij ruikt naar bodylotion en shampoo.

Ik voel hoe zijn lippen mijn hals afzoeken, terug naar mijn mond. Nóg een zoen, deze keer heftiger. Ik weet niet meer welke tong van wie is. Dan een vreemd, koud gevoel. Zijn tong is weg.

Ik open mijn ogen. Benjamin trekt zijn handen onder mijn shirt vandaan. Ik weet me geen houding te geven. Net was het allemaal heel vanzelfsprekend en nu krijg ik het gevoel dat ik iets moet zeggen. Maar wat? Dat ik hem lief vind? Het zou het hele moment verpesten.

Benjamin kucht zachtjes en kijkt me aan. Ik weet wat hij denkt, maar ik wil niet dat hij het zegt. Ik pak zijn bovenarmen beet en voel hoe hij ze spant. Hij wil zich verzetten tegen mij, maar ik weet dat hij het niet kan. We buigen weer naar elkaar toe. Zijn handen grijpen mijn nek en hij drukt zich tegen me aan.

Ik wil hem nog dichter tegen me aan, ik wil samen met hem in het zand liggen en zijn zware lijf op het mijne voelen. Benjamins hand leunt op mijn heup. Hij duwt me zachtjes van zich af. Onze monden blijven nog even aan elkaar plakken, alsof ze nog geen afscheid willen nemen.

'Ik wil niet stoppen...' zeg ik.

'Ik weet het,' fluistert Benjamin in mijn oor. 'Maar het is niet eerlijk. Niet tegenover Elsa.'

Elsa. De engel met de blonde haren. Pas nog zat zij zo tegen Benjamin aan. Was het háár tong in plaats van die van mij. Ik voel me ineens een verrader naar Elsa toe. Haar eerste vriendje...

Tijdens het zoenen heb ik niet één keer aan haar gedacht. Het waren Benjamin en ik. Meer niet. Als Benjamin niet was gestopt hadden we nog steeds zo gestaan.

'Hoe moeten we dat...?' stamel ik. 'Hoe wil je dat doen?'

Benjamin wrijft in zijn nek. 'Ik weet het niet. We moeten het tegen haar zeggen, maar ik weet niet hoe.'

In gedachten zie ik haar reactie voor me.

Ik voelde me voor het eerst heel veilig, alsof me niks kon overkomen. Dat zei ze. En nu heb ik haar die veiligheid met één zoen afgenomen. Haar gevoel van gaafheid, waar ze al zo lang naar zoekt. Het gevoel dat een jongen haar mooi vindt. Wat heb ik gedaan?

Benjamin lijkt mij te snappen en hij slaat twee armen om me heen. Zo staan we in zijn keuken, met trillende lijven tegen elkaar aan. Benjamins shirt wordt nat van mijn tranen. Ik maak me los uit zijn omhelzing.

'Ik ga wel met haar praten,' zegt hij. 'Ik leg het uit.'

Ik schud mijn hoofd. 'Dat moet ík doen.'

Wendy,

Oké, nog één brief. Ik weet het, de doos was dichtgeplakt, maar ik moet je wat vertellen. Benjamin en ik hebben gezoend. Ik voel me zo vreemd. Ik kan wel barsten van geluk en aan de andere kant huil ik. Ik heb Elsa bedrogen. Ik heb haar vriendje afgepakt. En waarom? Omdat ik hem voor mezelf wil. Dat doen alleen trutten. Als ik in films dat soort dingen zie walg ik ervan. En nu doe ik het zelf. Maar Benjamin is alles voor me. Bij hem voel ik me Sám, het meisje dat ik wil zijn, en dat ik ook ben. Ik speel geen toneel, ik kan alles zeggen. Zo'n jongen vind ik nooit meer. Bij alle jongens ga ik me stoerder voordoen. Net als bij Bo trouwens.

Bij jou was ik mezelf. En nu ook bij Benjamin. Misschien hou ik daarom wel van hem.

In mijn gedachten schrijf je mij een brief terug waarin staat dat ik ervoor moet gaan. Maar in werkelijkheid weet ik helemaal niet wat je zou zeggen. Keur je het af? Hoe kan ik Elsa dit aandoen? Ze heeft het al zwaar genoeg. Zij heeft Benjamin óók nodig, net als ik. Ik word gek van onzekerheid. Hoe kan ik ooit met Benjamin verder? Elsa vergeeft me dit nooit, en terecht.

X Sam | **139**

Het huis van Elsa ziet er net zo uit als die avond na de disco: netjes en burgerlijk. Haar moeder doet open en lijkt verbaasd me te zien. Ze kijkt afkeurend naar mijn kleren, maar laat me dan binnen. In de hal ruikt het naar luchtverfrisser.

Elsa zit boven op haar kamer en ik loop de trappen op. Dik tapijt voelt zacht aan onder mijn teenslippers. Bij de deur met de dolfijnenposter klop ik aan.

'Sam,' roept Elsa enthousiast. 'Wat leuk dat je er bent. Ik ga zo naar Benjamin, ga je nog mee varen?'

Ik schud mijn hoofd. 'Nee, ik kwam voor jou.'

Elsa propt allerlei dingen in haar rugzak. Extra vestje, fles drinken en zonnebrandcrème.

Ik haal diep adem en stap de kamer in. Op haar bed ligt een gestreepte sprei, waar ik zachtjes aan pluk. Elsa heeft het te druk met inpakken om mijn verdriet op te merken.

'We gaan weer naar die plek, geloof ik,' gaat ze verder. 'Benjamin is er helemaal weg van.'

'Weet ik.' Mijn stem komt van een ander.

Elsa blikt om en kijkt me vragend aan. 'Wat is er? Wat klink je vreemd. Heb je ruzie met Bo?'

Was het maar waar. Alles beter dan dit.

'Ik moet echt zo gaan, Sam. Ik kan niet wachten om Benjamin te zien.'

Ik frunnik aan het hangertje van mijn ketting. De ketting die ik van Elsa kreeg toen ik jarig was. Hij kwam uit hetzelfde winkeltje als die van haar.

'Elsa, ik moet je wat vertellen.'

'Wat?' Elsa gaat op haar bureaustoel zitten en vouwt haar handen tussen haar knieën.

'Ik ben verliefd op Benjamin.'

Elsa kijkt me even met grote ogen aan, maar dan begint ze te lachen. 'Ja, hoor. Ik snap dat je daarover wil praten. Ik kom vanavond bij je langs, goed?' Elsa staat weer op om haar rugzak dicht te knopen. Ik kijk naar haar rug.

'Ik meen het,' zeg ik zachtjes. 'We hebben gezoend.'

Achttien

Door het raam in mijn kamer zie ik de zwarte lucht. Ik heb het koud en lig te rillen onder mijn dekbed. Mijn nachtlampje is aan, ik wil niet alleen zijn in het donker. Ik probeer te slapen, maar telkens komen de woorden terug.

Piepend gaat de deur van mijn kamer open. Het is Julia. Ze komt sluipend dichterbij en gaat op de rand van mijn bed zitten. Ze heeft haar blauwe pyjama aan, waar mama zo'n hekel aan heeft.

'Sam?'

'Ja?'

'Wat is er aan de hand?'

'Alsof ik jou dat zou vertellen.'

Julia zucht diep. 'Het spijt me van Willem. Ik had het nooit mogen vertellen, hè?'

'Dat was fijn geweest,' zeg ik.

Julia steunt met haar handen op mijn matras. 'Ik wist niet dat je verliefd op hem bent. Ik bedoel: je vertelt me niks meer.'

Ik denk terug aan jaren geleden. Julia op de rand van mijn bed, zachtjes pratend over haar geheimen. Ik schud met mijn hoofd. Het wordt nooit meer zoals toen. Julia is een tutje geworden, zelfs Bo zag het.

'Kan ik iets voor je doen?'

Ik kijk mijn zusje kwaad aan. Dankzij haar is alles verkeerd gegaan. Als zij gewoon haar mond had gehouden over Willem was er niks aan de hand geweest.

'Misschien moet je haar de brieven laten zien.'

'Waar heb je het over?'

Julia bukt en haalt de doos onder mijn bed vandaan.

Brieven aan niemand.

'Deze.'

Mijn bloed kookt. Ik gris de doos uit Julia's handen en duw haar van mijn bed. 'Ben je helemaal gek geworden? Die brieven zijn van míj. Hoe haal je het in je hoofd die dingen te lezen?'

'Ik heb ze niet gelezen! Ik vond deze op je bureau.' Julia houdt mijn laatste brief aan Wendy omhoog. Die ene die ik schreef voordat ik naar Elsa ging. Ik pak de brief aan.

'Je had er met je poten af moeten blijven.'

'Ik was op zoek naar plakband. Sorry, hoor.'

Ik voel hoe mijn wangen rood worden. Julia kent mijn geheim. De brieven aan Wendy, ze weet het.

'Misschien moet je haar de brieven geven,' gaat Julia verder.

'Je snapt er niks van.'

Julia staat op. 'Misschien niet. Maar dat weet je nooit als je het niet probeert.'

Met de doos in mijn handen sta ik voor de deur van Elsa's huis. Het is vroeg in de ochtend en iedereen lijkt nog te slapen. Met bevende vingers bel ik aan. Het duurt lang voor er opengedaan wordt. Een slaperige Elsa staat in de opening. Als ze mij ziet is ze in één keer wakker.

'Ik heb je niks meer te zeggen.' Ze wil de deur dichtdoen, maar ik zet snel mijn voet ertussen. Ik geef haar de witte doos aan. Elsa twijfelt even, maar pakt hem dan over.

'Lees het,' zeg ik. 'Alsjeblieft. Dat is het enige wat ik van je vraag.'

Minuten lijken uren te duren. Ik zit in de tuin en kijk telkens op mijn horloge. Zeventig brieven, hoe lang duurt het voor je die gelezen hebt? Eén uur? Meer? De lucht is bewolkt en ik weet zeker dat het straks weer zal gaan regenen. Misschien smijt Elsa de brieven wel weg zonder ze open te maken. Maar ik weet haast zeker dat de nieuwsgierigheid zal winnen. Wat doe je als je zeventig brieven krijgt die niet aan jou gericht zijn?

Ik probeer mij voor de geest te halen wat er allemaal in staat. De laatste brieven ken ik uit mijn hoofd, maar de eerste paar ben ik vergeten. Mijn allereerste brief aan Wendy was een week na haar vertrek. Toen dacht ik nog dat ze terug zou komen. Hoe naïef kon ik zijn?

Ik denk terug aan de laatste leuke avond die ik met haar had. Ik had tegen de veertig graden koorts en Wendy kwam langs. Ze had een grote mand met snoep bij zich. Zogenaamd gezond. We hebben uren zitten praten over vakanties. Dat jaar zou Wendy naar Italië gaan, samen met haar ouders. Ik ging zoals altijd naar ons huisje op Texel. Het was Wendy's idee en ik stemde natuurlijk in. Ik mee naar Italië. Drie weken luieren aan het zwembad, ik kon me geen betere vakantie voorstellen. De dag erna was de ruzie. Ik heb haar nooit meer gezien.

'Sam?'

Ik kijk geschrokken op. Elsa staat naast me, met de doos in haar handen. Ze heeft gehuild, zie ik. Ze zet de doos op het tafeltje naast me en gaat in de stoel tegenover me zitten. Ik besluit te wachten tot zij begint.

'Ik heb ze gelezen,' zegt Elsa. 'Allemaal.'

Ik zwijg nog steeds. Ik probeer te bedenken wat ik allemaal over Elsa heb geschreven. Zaten er nare stukjes tussen?

'Wie is Wendy?'

Ik kijk haar verbaasd aan. Van alle dingen die ik heb geschreven wil zij weten wie er op de enveloppen staat?

'Wendy was een vriendin,' zeg ik.

'Waarom heb je de brieven nog?'

'Omdat ik ze niet heb verstuurd.'

Elsa kijkt opzij. Ik volg haar blik. De villa ligt er verlaten bij.

'Waarom wilde je dat ik ze zou lezen? Er staan hele persoonlijke dingen in.'

Ik knik. 'Daarom juist. Ik wil dat je weet waarom ik het heb gedaan. Ik wil dat je weet hoe ik ben.'

'Ik weet hoe je bent. Tenminste, dat dacht ik.'

'Het spijt me.'

Elsa proest. 'Wat heb ik daaraan?'

'Het spijt me dat ik je pijn heb gedaan. Dat je eindelijk iemand vond waar je je veilig bij voelde, en dat dat nu weg is. Door mij.'

'Je snapt er helemaal niks van,' zegt Elsa.

'Natuurlijk wel. Jij voelde je veilig bij Benjamin en ik heb dat verpest.'

Elsa schudt haar hoofd. 'Ik voelde me veilig bij jóú.'

Ik kijk haar verbaasd aan. 'Maar Benjamin dan?'

'Hij vindt mij niet leuk.'

'Hoezo?'

'Hij is verliefd op jou,' zegt Elsa. 'Denk je dat ik dat niet doorheb?'

Ik kijk verlegen naar de grond. Ik weet echt niet meer wat ik moet zeggen.

'Van Benjamin snap ik het, maar van jou? Waarom heb je nooit verteld dat je verliefd op hem was? Ik dacht dat we vrienden waren.'

'Dat zijn we ook,' zeg ik. Ik hoor zelf ook wel hoe slap het klinkt.

Elsa staat op. Als ze bij het grindpad is ren ik haar achterna. Ik kan haar niet laten gaan. Straks staat er een doos met háár naam onder mijn bed.

'Elsa, ik heb het verpest. Maar ik heb je nooit pijn willen doen.' Ik hou haar vast aan haar arm.

'Ik vertrouwde je. Ik heb je alles verteld, over mijn brandwonden, over mijn onzekerheid, alles.' Elsa's ogen vullen zich met tranen. Ze lijkt helemaal niet op Wendy, zie ik nu.

'Ik weet het,' zeg ik. 'Hoe kan ik het goedmaken?'

Elsa schudt haar hoofd. 'Het is te laat.'

'Alsjeblieft, ik wil alles voor je doen.'

Elsa veegt haar tranen weg. 'Ik wil weten wie Wendy is. Wat er is gebeurd.'

'Waarom wil je dat weten?'

'Omdat ik dan misschien eindelijk snap waarom je zo doet.'

'Goed,' zeg ik. 'We gaan naar het meer.'

Het voelt vreemd om met Elsa bij het meer aan te komen. Er hangt een laag mist boven het water en het is stiller dan ooit. We gaan samen in het zand zitten en ik schraap mijn keel. Hoe moet ik beginnen? Hoe vertel ik een verhaal dat geen begin of einde heeft?

'Wendy was mijn beste vriendin,' zeg ik. 'Een betere vriendin kon je je niet wensen. Ze was nieuw dat jaar en kwam als een engel onze klas binnen. Bo had meteen een hekel aan haar.' Ik moet lachen bij de herinnering. 'Net als bij jou.'

'Wendy was niet zoals andere meisjes. Ze was knap, maar deed er niks voor. Ze was als een zeemeermin en alle meisjes waren jaloers op haar. Er hing altijd een soort waas om haar heen, alsof ze een geheim met zich meedroeg. Toch was ze erg populair, misschien juist daarom. Leraren vonden haar aardig, ze kon goed leren, hielp anderen graag en jongens vonden haar prachtig. En toch liet ze niemand toe. Wendy was onbereikbaar, voor iedereen. Behalve voor mij. Ik weet niet waarom ze míj uitkoos, maar van de ene op de andere dag waren we onafscheidelijk. We liepen samen in de pauzes en meisjes vroegen zich af waarom ze wel met mij praatte. Bo probeerde ons bij te houden, maar voor Wendy telde ze niet. Bo begon haar te haten. Vooral omdat ze mij inpikte, denk ik. Wendy trok zich er niks van aan. Ze was... Ik weet niet, ze was bijzonder.'

Ik kijk opzij naar Elsa, die aandachtig luistert. Ik haal diep adem en ga verder.

'Wendy hield van water. Daarin voelde ze zich thuis. Ze dook heel diep onder en kwam dan ineens ergens boven. Haar haren hingen dan als natte slierten over haar schouders. Vandaar, "de zeemeermin". Ze vroeg me overal mee naartoe, maar toch had ik het idee dat er iets was. Iets wat ze nooit zou vertellen, ook niet aan mij. Ik heb vaak geprobeerd haar uit te horen, maar dat lukte niet. Wendy was koppig, als ze iets niet wilde zeggen zei ze het niet.'

Ik probeer mijn tranen tegen te houden. Ik denk terug aan de avond in het meer. Nog altijd snap ik er niks van.

'Ze had ook haar rare dingen,' ga ik verder. 'Ze kon ineens kwaad worden, dan begon ze te schreeuwen en om zich heen te slaan. Niemand mocht dan in haar buurt komen, zelfs ik niet.'

Elsa kijkt me aan. 'En waarom ging het mis tussen jullie?'

Ik frons mijn voorhoofd. Ik knijp met mijn vingers in het zand. Kan ik dit wel zeggen? Nog nooit heb ik dit aan iemand verteld. Ik heb het zelfs nooit opgeschreven.

'Ze ging verhuizen,' zeg ik zachtjes. 'Naar de andere kant van het land. Op de dag dat ze wegging kregen we ruzie over iets heel stoms. Ik weet niet eens meer wat het was. Ze brulde dat ze me nooit meer wilde zien. We hebben het nooit meer goed kunnen maken.'

'Je hebt haar nooit meer gesproken?' vraagt Elsa ongelovig.

'Nee, dat wilde ze niet. Ik mocht haar niet schrijven, niet bellen, niet opzoeken. Ik weet niet waarom.'

'Misschien vond ze dat te moeilijk,' zegt Elsa. 'Omdat ze eigenlijk geen afscheid wilde nemen werd ze maar heel boos op je. Dat maakte het makkelijker. Nu hoefde je geen afscheid te nemen, nu zijn jullie gewoon uit elkaar gerukt.'

Gewoon, denk ik bij mezelf.

'Waarom heb je de brieven nooit verstuurd?' vraagt Elsa. 'Denk je niet dat ze ze wil lezen?'

'Ik weet wel zeker dat ze ze niet wil lezen.'

Elsa staart over het meer. Kon ik maar weten wat ze denkt. 'Werd je daarom verliefd op Benjamin?'

Ik schrik van zijn naam. Ik was bijna vergeten dat we daarom hier zaten. 'Ik denk het wel. Ik vond in hem zoveel terug van de vriendschap met Wendy. Ik was belangrijk voor hem, en dat voelde zo geweldig.'

Elsa knikt. 'Hij voelde ook belangrijk voor mij, maar dat gevoel is niet wederzijds.'

'Heus wel,' zeg ik. 'Hij vindt dit net zo erg als ik.'

'Ik dacht dat ik jullie kon vertrouwen. Ik voelde me voor het eerst sinds lange tijd weer goed.' Elsa slaat haar armen om haar benen en begint te huilen. Ik wil haar beetpakken, maar Elsa slaat me van zich af. Ze beukt met haar vuisten op haar benen. 'Ik háát ze, ik wil ze niet meer. Die stomme benen, die vreselijke Teddy, ik hou het gewoon niet meer uit.'

Ik pak haar handen beet en moet me verzetten tegen haar kracht. Ze probeert zich uit alle macht los te rukken. Die omslag van luisteren naar huilen, zelfs daarin lijkt ze op Wendy.

'Elsa, luister naar me.'

'Nee, ik wil niet meer!' Elsa schreeuwt het uit. Haar stem galmt over het meer en boven ons vliegt een vogel krassend weg. Elsa's greep verzwakt en even later slaat ze haar handen voor haar ogen. 'Ik raak iedereen kwijt.'

'Natuurlijk niet. Ik ben er voor je. We gaan er samen voor zorgen dat jij je weer goed voelt.'

Even denk ik dat ze me weg zal sturen. Dat ze gaat roepen dat ik Benjamin van haar heb afgepakt, maar ze doet helemaal niks. Ze blijft zitten in het zand, met schokkende schouders.

'Ik weet niet eens of ik wel verliefd op hem was,' snikt ze. 'Ik vond het gewoon zo fijn dat er eindelijk iemand naar me luisterde.'

'Ik luister toch ook.'

'Jij bent geen jongen. Er is nog nooit iemand verliefd op me geweest. Ik heb nog nooit met een jongen gezoend. Straks willen ze meer en wat zeg ik dan? Ik kan nooit op m'n gemak zijn bij een jongen, uit angst dat hij mijn benen zal zien. Weet je hoe dat voelt?'

'Je moet me geloven,' zeg ik. 'Je moet echt gaan leren ermee om te gaan. Dit maakt je helemaal kapot.'

'Je bedoelt een psychiater?' zegt Elsa. 'Ik ben niet gek.'

'Nee,' lach ik. 'Ik bedoel een soort cursus. Waar je mensen ontmoet die hetzelfde hebben als jij.'

'Een brandwondenclubje,' zegt Elsa schamper. 'Wat een geweldig idee.'

'Er bestaan vakanties,' zeg ik met een rood hoofd. Elsa weet helemaal niet dat ik op internet ben gaan surfen voor informatie. 'Waar je ermee leert omgaan. Zullen we er samen eens naar kijken?'

Elsa kijkt me door haar tranen heen. 'Je bent een trut, weet je dat.'

'Weet ik.'

Als we terugfietsen naar huis begint het zachtjes te regenen. Ik voel mijn haren nat worden.

'Sam?'

'Ja?'

'Wanneer is dat kamp?'

We fietsen zo hard dat we onder de druppels door lijken te vliegen.

150 | Het is de laatste vrije dag. Bo en ik zitten samen in de achtertuin. We spugen kersenpitten richting de ijzeren emmer. Ik denk terug aan het begin van de vakantie. Er gebeurde niets. We verveelden ons zelfs. Ik spuug mijn zoveelste pit richting de emmer. Raak.

'Waar is Benjamin?' vraagt Bo.

'Hij moest werken vandaag,' zeg ik. 'Hij komt vanavond.'

'Oe,' lacht Bo. 'Blijft hij slapen?'

Ik schud mijn hoofd. Ik ben er nog niet aan toe. Zeker niet door het gevoel over Elsa. Ook al zei ze dat ze het niet erg meer vond, ik wil haar niet extra kwetsen. Net nu het zo goed gaat tussen ons.

Bo spuugt nog een pit over het gazon. Hij komt een meter naast de emmer terecht.

'Je bent er slecht in geworden,' lach ik als ik naar de tussenstand kijk. Ik sta vijf pitten voor.

'We hebben ook niet meer geoefend,' zegt Bo. 'We hadden het te druk met andere dingen.'

'Ja,' zeg ik. 'Waarmee precies?'

Bo grijnst. 'O, je weet wel, de dagelijkse dingen.' Ze buigt zich voorover en geeft me een zoen op mijn wang.

Ik sta op en pak onze glazen. 'Ik haal even limonade.'

'Ik blijf nog even oefenen.' Bo spuugt twee pitten uit.

In de keuken zie ik de witte doos. Mama zal hem wel binnen hebben gezet. Ik blijf er even naar kijken. Zeventig brieven. Misschien is het wel tijd om hem voorgoed op te bergen. Er is vast wel een plekje vrij op zolder.

Ik til de doos op. Wat voelt hij licht? Ik pak de keuken-
schaar uit een la en knip het plakband door. De deksel leg
ik naast de doos op het aanrecht.

Hij is leeg.

'Hoe kan dit?' zeg ik zachtjes tegen mezelf. Ik staar
naar de witte bodem van de doos. Zeventig brieven, die
verdwijnen toch niet zomaar? Ik kijk onder de tafel, ook
al weet ik dat het onzin is. Zeventig brieven verstoppen
zich niet uit zichzelf. Buiten hoor ik Bo tegen de postbode
praten. Even later klinken er flappende slippers op ons
tuinpad en komt Bo de keuken in.

'Post,' zegt ze. 'Van Elsa.'

'Elsa?' Ik kijk mijn vriendin verbaasd aan.

Bo bloost een beetje. 'Zo heet ze toch?'

Ik neem de vakantiekaart aan en kijk naar het plaatje
op de voorkant. *Zomerse groeten* staat erop.

Ik draai de kaart om. Elsa's rommelige handschrift is
net te lezen: *op blote voeten.*

De tranen springen in mijn ogen en Bo kijkt me verbaasd aan. 'Wat is er?'

'Niets, de kaart,' zeg ik.

'Jij bent ook niet gewend om post te krijgen,' lacht Bo.
'Of moet je altijd huilen van ansichtkaarten?'

Ze draait zich om en loopt de tuin weer in. 'Vergeet de
limonade niet.'

Ik geef de kaart voorzichtig een zoen. Dan vallen mijn
ogen op de kleine lettertjes onderaan. Elsa heeft duidelijk geprobeerd zo klein mogelijk te schrijven.

Ik heb ze gepost.

Maren Stoffels over
Op Blote Voeten

Op de eerste dag van de middelbare school werd ik aangezien voor een jongen. Ik had net als Sam erg kort haar en droeg wijde kleren. Ik weet nog dat ik me dood schaamde, maar achteraf kan ik er wel om lachen. Gênante verhalen zijn vaak de leukste.

Tijdens het schrijven van dit boek voelde het bijna alsof Sam en Bo vrienden van me werden. Ik zat er helemaal in en werd zelfs een beetje verliefd op Benjamin!
En dan heb je natuurlijk nog Elsa. Ik wist niks van brandwonden voor ik aan dit verhaal begon. Ik ben bij de brandwondenstichting geweest en heb daar met iemand gepraat die zelf ook verbrand is. Het was indrukwekkend om haar verhalen te horen, vooral omdat ze er heel sterk onder is. Daarom heb ik geprobeerd om van Elsa geen slachtoffer te maken. Eigenlijk is ze veel dapperder dan Sam. Zoals op de allerlaatste pagina. Dankzij haar zal Wendy misschien ooit nog terugkomen bij Sam. Wat denk jij?

Laat een reactie achter op www.marenstoffels.nl

Zomerse groeten... op blote voeten, Maren Stoffels

Bedankt voor het kopen van dit boek! Een deel van de opbrengst gaat namelijk naar de Nederlandse Brandwondenstichting (www.brandwonden.nl), zodat die mensen als Elsa kan helpen met revalideren.

Dreadlocks & Lippenstift

Sofie moet met haar ouders op vakantie naar Frankrijk. Hoe komt ze de tijd door zonder Tygo? Tot haar verbazing wordt de mooie Floor haar beste vriendin. Maar kan Sofie haar helpen met haar eetprobleem?

Met dit debuut won Maren:
- Prijs van de Jonge Jury
- Debuutprijs Jonge Jury
- Hotze de Roosprijs

Piercings & Parels

Waarom wil Roosmarijn niet zeggen op wie ze verliefd is? En wat is er met Sofie aan de hand dat ze de vriendin van haar broer aanvliegt?

Dit tweede boek over Sofie kreeg de Book Award van ECI/Stichting Lezen.

Cocktails & Ketchup

Haar nieuwe klasgenoot
Lewi haalt het leven van
Sofie flink overhoop.

Het wervelende slot van de
trilogie over Sofie.

Sproetenliefde

Amber is hopeloos verliefd
op haar leraar. Een anonie-
me schrijver op de wc-
muur is de enige aan wie ze
alles durft te vertellen.
En waarom zwijgt de rood-
harige Robin? Amber moet
en zal hem aan het praten
krijgen!

Getipt door de Nederland-
se Kinderjury én door de
Jonge Jury 2008.